Lee Kun-Yong

이건용

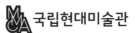
국립현대미술관

In Snail's Gallop

달팽이 걸음

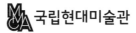
국립현대미술관

《달팽이 걸음 _ 이건용》전

기간	2014년 6월 24일 ~ 12월 14일
장소	국립현대미술관 과천관 제1원형전시실
기획 · 진행	김경운
운송 · 설치	박양규, 조재두
공간조성	한명희
전시디자인	김용주, 홍박사
사진 · 영상	이미지 줌
보존	차병갑, 김은진
교육	조성희, 한윤희, 한혜경, 황호경
홍보	최선례, 김자람, 이정민
영문번역 · 감수	박명숙, 필립 마허
아카이브	류한승, 이지은
인턴	정서윤

Lee Kun-Yong in Snail's Gallop

Date	June 24 – December 14, 2014
Venue	Circular Gallery 1, National Museum of Modern and Contemporary Art, Gwacheon
Curated by	Kim Kyoung-woon
Technical Coordination by	Park Yanggyu, Cho Jaedu
Space Construction by	Han Myounghee
Exhibition Design by	Kim Yongju, Hongbaksa
Photographic Credits · Filming by	Image Joom
Conservation	Cha Byungkab, Kim Eunjin
Education	Cho Sunghee, Han Yoonhee, Han Hyekyung, Hwang Hokyoung
Public Relations	Choe Soleh, Kim Jaram, Lee Jeongmin
Translation	Park Myoungsook, Philip Maher
Archive	Ryu Hanseung, Lee Jieun
Curatorial Intern	Jung Seoyoon

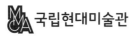

국립현대미술관

일러두기

· 도판은 주제별로 나누어, 제작 연도 순서로 수록함을 원칙으로 하였습니다. 일부 예외가 있음을 알려 드립니다.

· 도판 설명은 작품명, 제작 연도, 매체, 크기 순입니다.

· 작품 크기는 세로 × 가로의 순입니다. 입체 작품의 경우에는 높이 × 세로 × 가로의 순입니다.

· 이 책에 실린 미술 작품 이미지의 저작권은 미술가에게 있습니다. 작품의 대부분은 저작권자의 수록 동의를 받았지만, 저작권자와 연락과정에 있는 몇 작품의 경우, 확인이 되는 대로 저작권 계약 혹은 수록 동의 절차를 밟을 것을 밝힙니다. 저작권법에 의해 보호를 받는 저작물이므로 무단 전재, 복제, 변형, 송신을 금합니다.

정형민
국립현대미술관 관장

국립현대미술관은 2014년부터 〈한국현대미술작가시리즈〉를 기획하여 진행해
오고 있습니다. 이 시리즈는 회화, 조각, 공예, 사진, 건축, 실험미술 등 각 분야별
선정위원회가 3년 단위로 선정한 원로 작가의 개인전을 개최하고 이를 통해 해방
이후의 한국현대미술사를 정립 시도하고자 하는 우리 미술관의 중요한 프로그램입니다.

〈한국현대미술작가시리즈〉의 "실험미술" 분야에서 선정된 이건용 작가는 1970년대에
〈ST조형미술회〉를 이끌고, 〈AG〉그룹에 주도적으로 참여함으로써 한국 현대미술에서
전위적이며 실험적인 흐름을 꾸준히 이끌어 가는 데 중추적 역할을 했습니다.
아울러 40년이 넘도록 끊임없는 실험정신을 견지하며 개념미술, 행위미술, 설치작업 등
다채로운 작품활동을 펼쳐내고, 동시에 어떤 양식에도 안주하지 않으면서 지속적인
변신을 통해 우리 미술의 다양한 얼굴을 빚어내는 데 큰 역할을 한 작가입니다.

이번 전시에서는 1973년에 파리 비엔날레에 출품하여 큰 호응을 얻었던 〈신체항〉,
1979년도 상파울루 비엔날레에서 발표하여 여러 나라의 미술인들에게 깊은 인상을
남겼던 〈달팽이 걸음〉, 또 같은 해 리스본에서 열린 국제드로잉전에서 수상의 영광을
안았던 〈신체 드로잉〉 등 작가의 대표작을 위시하여 오늘날까지 청년들 못지않은
열정적인 작업을 통해 탄생시킨 작품들을 망라하여 선보입니다. 그리고 작품세계에
대해 더욱 깊이 있게 이해할 수 있도록 그동안 공개되지 않았던 각종 작업 관련
자료들을 소개하고 있습니다. 이번 전시가 후배 작가들에게 창의적인 영감을
불어넣어줄 수 있기를 기대해 봅니다.

이 전시를 꾸리는 데 노고를 아끼지 않은 여러 관계자분들과 미술관 직원여러분들께
감사의 마음을 전합니다. 무엇보다도 여전히 식지 않는 열정으로 열심히 작품에 임하고
계신 이건용 선생님께 다시 한번 감사드립니다.

Foreword

Chung Hyung-Min

Director
National Museum of Modern
and Contemporary Art, Korea

In 2014, the National Museum of Modern and Contemporary Art launched a new series of exhibitions highlighting the achievements of Korea's most innovative and important contemporary artists. This series, which is already recognized as one of the museum's flagship programs, consists of solo exhibitions from major artists representing six different areas: painting, sculpture, crafts, photography, architecture, and experimental art. Each artist is chosen by a selection committee, which is responsible for selecting all of the featured artists for a three-year period. With this series, the museum aims to improve visitors' understanding and appreciation of the history of Korean contemporary art since 1945.

The first experimental artist to be featured in this series is Lee Kun-Yong. In the 1970s, as the leader of the ST Group, as well as an active participant in the AG Group, Lee played a crucial role in advancing the avant-garde and experimental art of Korea. Moreover, he has avidly maintained his fierce experimental spirit for more than forty years, producing numerous diverse installations and works of conceptual and performance art. By refusing to settle into any single style or genre, Lee has been a true catalyst for artistic change and innovation, who has been at the forefront of the ongoing evolution and transformation of various aspects of Korean art.

This exhibition covers the full spectrum of his works, and includes many of his most representative pieces: *Corporal Term*, which received rave reviews at the 1973 Biennale de Paris; *Snail's Gallop*, which drew international praise after Lee's performance at the 1979 Bienal de São Paulo; and *Body Drawing* (The Method of Drawing), which earned Lee the Grand Prix at the 1979 Lisbon International Show. The more recent works featured in the exhibition demonstrate that Lee has continually maintained the ardent passion and inventive drive of a young artist. In addition, the exhibition introduces many supplementary materials and resources that have never before been available, including Lee's own work notes, to deepen the audience's understanding of his works. As such, we hope that the exhibition of this landmark figure will help to awaken and expand the creative spirit of the young artists of today and tomorrow.

I wish to express my sincere gratitude to everyone who lent their support and assistance to this exhibition. In particular, I extend my thanks to every member of our terrific staff, who worked so hard for this exhibition. Above all, I must thank the great artist himself, Mr. Lee Kun-Yong, for continuing to inspire us with his undying passion and persistence for artistic creation.

한국현대미술작가
《달팽이 걸음 _이건용》전

김경운
국립현대미술관 학예연구사

국립현대미술관 과천관은 한국현대미술사의 역사적 정립을 목표로 지향하면서 〈한국현대미술작가시리즈〉를 마련하였다. 이 기획은 한국의 현대미술에서 든든한 버팀목이 되어온 대표적 원로작가들의 작품세계를 되돌아보고 정리함으로써 인물 중심으로 한국현대미술사의 면면을 살펴본다.《달팽이 걸음_이건용》전 또한 이 기획의 일환으로 개최되는 전시이다. 이건용은 한국현대미술에서 특히 전위적이고 실험적인 경향을 이끌어온 대표주자의 한 사람으로서 한국현대미술의 생태계 속에서 그 다양성을 확보하는데 커다란 역할을 하여왔다. 본 전시에서는 40년이 넘도록 끊임없는 실험정신을 견지하며 한국현대미술의 역사에서 독특한 자리를 지켜온 대가 이건용의 대표작들을 한 자리에서 조망하여 보는 무대를 선보인다.

본 전시의 제목《달팽이 걸음》은 작가의 대표적인 퍼포먼스 작품의 이름에서 따온 것으로, 미술계의 주류를 이루는 흐름과 관계없이 일평생 전위적이고 실험적인 작품활동을 꾸준하게 이어온 작가의 작품세계와 삶을 상징하는 의미를 지니고 있으며, 아울러 현대문명의 속도감과 대비되어 느리면서도 끈질긴 생명력을 이어나가는 생태적 속도의 의의를 다시 한 번 환기시키는 의미도 가진다. 전시는 크게 세 부분으로 구성되어 있다. 첫 번째 부분은 〈신체항〉 및 〈포〉 연작 등의 초기작들과 함께 1980년대 초의 〈무제〉 연작 등 조각과 설치의 형태를 띤 작품들을 주로 소개하는 〈관계의 시작〉이다. 두 번째 부분은 〈신체 드로잉〉 연작을 중심으로 하여 퍼포먼스와 긴밀한 관계를 맺으며 그 흔적을 중요한 구성요소로 삼는 회화작품들을 보여주는 〈신체적 회화〉이다. 세 번째 부분은 〈장소의 논리〉와 〈달팽이 걸음〉 등 중요한 퍼포먼스 작품들의 기록물과 함께 일상과 삶에 대한 작가의 관심이 배어나는 회화, 설치, 영상작품을 한데 모아 보여주는 〈예술도 소멸한다〉이다.

관계의 시작

작가 이건용의 초기작품은 과연 예술이란 무엇인가에 관한 근원적인 물음에서부터 출발한다. 회화란 무엇이며 조각이란 무엇인가? 미술품의 본질이 무엇이며 어디에 자리하는가에 관해 새삼스럽게 되물어보는 과정에서 작가는 먼 옛날, 과거의 시간 속으로 상상의 여행을 떠나본다. 이러한 생각의 실험을 통해 깨닫게 되는 것은 그림이 평면 위에 그려진 환영이며, 조각이란 자연물에 가한 인공적인 손길의 흔적에서 시작된다는 사실의 재발견이다. 작가에게 있어 이 재발견의 순간은 예술이 다시 탄생하는 순간에 다름 아니다.

때로는 전혀 미술품같이 보이지 않는 의외의 사물들이 예술작품으로 제시되기도 하는 현대미술의 세계에서, 어떤 사물이 '작품'이 된다함은 그 사물과 전시 공간, 그리고 그것을 바라보는 관람객들이 존재한다는 상황에 달려있게 된다. 전시실의 환경 속에서, 이건용의 '작품'과 관객은 관계 맺기를 시작하며, 이 관계의 시작을 통해 작품은

01
본 제목은 『이건용』 (윤 갤러리 개인전 리플릿
1985)에 실린 작가의 글에 붙인 제목에서
따온 것이다.

태어난다. 그리고 이렇게 태어난 작품들을 통해 관람자는 자연과 인간의 행위,
그 사이의 관계에 대한 사유와 명상 속으로 빠져 든다.

〈신체항〉은 1971년에 국립현대미술관에서 열린 《한국미술협회》전에 처음 발표된 이후
1973년에 파리 시립미술관에서 열린 제8회 파리 국제비엔날레에 진출하여 이목을
끌었으며, 이후 긴 세월동안 여러 전시에서 선보인 설치작품이다. 본 작품은 흙에 뿌리
내린 나무를 정방형의 지층과 함께 떠내어 전시장에 그대로 옮겨놓은 듯한 상태의
작품으로, 관람객들로 하여금 인공적인 전시실의 환경 속에서 자연 상태 그대로인 듯
보이는 나무의 커다란 본체와 마주하며 직접 대면하게 만든다. 이러한 만남은 언뜻 매우
생경한 느낌을 통해 충격효과를 이끌어내면서 강렬한 인상을 남긴다. 그리고 회화이면
서 동시에 설치작품의 성격을 지니는 〈포〉 연작은 회화가 평면위에 그려진 환영이라는
기본적인 명제를 다시 한 번 확인시키면서 미술작품을 감상하는 묘수를 던진다.

작가가 1980년대 초중반에 걸쳐 집중적으로 작업한 〈무제〉 연작들은 작가자신의 말에
의하면 "자연과 의논"하여 만들어낸 작품들이다. 객체로서의 사물(주로 나무)은
그 사물이 "스스로 그러하던[自然]" 상태를 최대한 존중받으면서도, 주체로서의 작가가
극히 절제된 태도로 제안하는 개입과 의논한다. 이러한 "의논"의 결과로 나온 사물/작품
은 객체가 본디 갖고 있던 상태와 매우 절제된 주체의 개입이 조화롭게 공존하는 관계를
보여주게 된다.

신체적 회화 [01]
다양한 매체를 구사하는 이건용의 예술 속에서 회화는 퍼포먼스와 긴밀한 관계를
맺는다. 그림이란 기본적으로, 그리는 이가 행한 육체행위의 결과이다. 20세기 후반
들어 여러 작가들이 그림을 기존의 방법과 다른 새로운 방식으로 그려내는 시도를
해왔다. 잭슨 폴록은 화면을 바닥에 뉘어놓은 채 그 위에 물감을 뿌리기도 했고, 루치오
폰타나는 화면에 예리한 구멍을 내기도 했으며, 일본 구타이 그룹의 작가 무라카미
사부로는 온 몸으로 화면을 통과하며 찢어낸 흔적으로 그림을 그려내기도, 이브 클랭은
타인의 신체를 붓 삼아 몸으로 물감을 찍어내어 그림을 그리기도 했다. 이건용은 다시
한 번 색다른 시도를 통해 새로운 그림 그리기를 보여준다. 전통적으로 그림은 그리는
이가 화면을 마주 대하면서 그려낸 결과로 나온다. 왜 화면을 마주보면서 그려야만 하는가?
작가는 이에 대한 의문을 제기하고, 화면 뒤에서, 옆에서, 화면을 등지며, 또 화면을 뉘어
놓은 채 이러한 제한조건 속에서 남겨지는 신체의 흔적을 그림 속에 담아낸다. 이와
같은 퍼포먼스의 결과로 빚어진 이미지들은, 사상 유례 없이 혁명적으로 독특한
회화언어를 개발하게 된다. 뿐만 아니라 이 방법들은 그리기의 본원에 다가가 있는 것으로
어느 누구든 적용할 수 있는 방법이기에, 원론적으로 누구나 작품을 생성시킬 수 있는
가능성을 열어놓음으로써 미술작품의 창작에 민주적 참여의 잠재력을 불어넣는다.

02
본 제목은 『이건용』(나우 갤러리 개인전
브로슈어, 1989)에 실린 작가의 글에 붙인
제목에서 따온 것이다.

〈신체 드로잉〉 연작은 바로 이러한 방법론을 구사한 회화언어를 통해 탄생한 작품들이다.
〈신체 드로잉 76-1〉은 화면 뒤에서 앞으로 팔을 내밀어 그 팔이 닿는 데까지 선을
그어나가 완성시키는 작품이다. 〈신체 드로잉 76-2〉는 화면을 몸 뒤에 세워두고 팔을
몸 뒤쪽으로 뻗어 선을 그어나가면서 자연스럽게 몸의 궤적을 드러내는 작품이다.
〈신체 드로잉 76-3〉은 화면을 몸 옆에 두고 팔을 앞뒤로 둥글게 뻗어가며 선을 그어나가
만들어낸다. 〈신체 드로잉 76-4〉는 화면을 탁자 위에 올려두고 팔을 부목에 묶어
움직임을 제한한 뒤 단계별로 묶음을 풀어나가면서 선을 그어나가 완성한다.
〈신체 드로잉 76-5〉는 화면을 바닥에 뉘어놓은 채 양다리 사이로 선을 그어나가
그려낸다. 〈신체 드로잉 76-6〉은 화면을 앞에 두고 양팔을 좌우로 크게 뻗어 선을
그려가는 작품이다. 〈신체 드로잉 76-7〉은 화면을 바닥에 두고 어깨를 축으로 하여
반원형의 선을 그어나가 완성한다. 〈신체 드로잉 76-8〉은 화면 앞에서 온 몸을 축으로
삼은 채 커다란 원의 형태를 그어나가는 작품이다. 〈신체 드로잉 76-9〉는 화면 앞에
서서 양팔을 동시에 좌우로 몸부림치듯 뻗으며 선을 그어 완성하게 된다.

작가는 이러한 몇 가지 유형의 드로잉 방법론을 여러 가지 이미지와 병치시키거나
중첩시켜 다양하게 변형해낸다. 이러한 이미지의 변주는 지속적으로 진화, 발전하여
오늘날에도 다양한 회화작품을 생성한다.

예술도 소멸한다 [02]

"인생은 짧고 예술은 길다"라는 금언은 우리에게 매우 잘 알려져 있다. 하지만 이건용은
이를 뒤집어 "인생은 짧고 예술도 짧다"라고 도발적으로 선언한다. 사실 이건용의
작품 중 많은 것들이 행위로 이루어져 있어 작품의 실체가 그 행위를 수행하는
시간동안만 존재할 뿐, 이후에는 사진이나 영상 등의 기록물, 또는 그 흔적을 담은
잔재들로만 남아있는 경우가 드물지 않다. 하지만 "예술도 짧다"라는 작가의 진술은
이렇듯 작품이 지니고 있는 한시적인 성격을 가리킬 뿐만 아니라, 삶과 예술이
유리된 게 아니라는 작가의 입장을 밝히고 있는 것이기도 하다.

작가의 대표적인 퍼포먼스 작품인 〈달팽이 걸음〉은 1979년 상파울루 비엔날레에서
발표된 바 있는 작품이다. 자연 속 달팽이의 느린 걸음을 통해 현대문명의 빠른 속도를
가로질러 보자는 의미를 담고 있으며, 발표 당시에는 당대 권력에 의해 상처받은 작가의
신체를 연상하게도 만들었던 작품이다. 누가 뭐라 하건 느리면서도 꾸준한 걸음을
달팽이처럼 걸어간 뒤에 남는 궤적은 작가가 평생 일구어온 삶과 작품세계를
연상하게도 만든다. 그리고 〈장소의 논리〉는 1975년에 처음 발표, 《AG》전에서도
소개된 바 있는 작품이다. 신체의 움직임에 따라 장소의 명칭이 달라짐에 주목하도록
하여 장소와 신체의 관계를 새삼스럽게 바라보도록 만들고, 그 후에는 그러한 논리가
실제 삶의 비논리성과 맞닿도록 함으로써 언어와 예술의 관념성을 극복하며 삶의

진면목과 만나도록 이끄는 퍼포먼스이다. 이러한 퍼포먼스 외에도 작가의 여러
대형회화 및 설치작품들은 사회와 삶에 관한 문제들을 정면으로 다루고 있다.
특히 1991년도 회화 〈걸프전-1991〉은 경제적 이해관계와 국제정치의 역학 속에서
석유의 이권을 에워싸고 벌어진 전쟁에 의해 상실되는 인간성의 문제를 보여준다.
또한 〈IMF-(청년)실업자, 부도징후〉는 한국사회에 급작스럽고 커다란 변화를 몰고 온
IMF 구제금융 요청사태를 전후하여, 작가가 각종 매체에서 읽어낸 글귀들 속에서 점점
고조되는 부도 및 구조조정의 징후와 함께, 이와 관련하여 사람들에게 획일적인 삶의
방향을 부과하는 억압적 충고들을 설치의 형식 속에서 풀어 보여주고 있다.

이건용의 작품들은 예술이 전시실의 벽면에만 있는 게 아니라, 바닥에도 있고, 천장에도
있으며, 우리가 매일 매일 살아나가는 일상, 그 행위 하나하나에도 존재하는 것임을
온몸으로 보여준다. 우리가 살아가는 삶의 모습들이 담긴 이야기는 때때로 작가의
작품 속에 내용으로 직접 담기기도 한다. 삶에 대한 작가의 관심은 자연 그리고 예술과
이어지는 관계를 통해서 다양한 작품으로 형상화되며, 이는 천천히 꾸준하게 그려지는
궤적으로 남는다. 자, 이제는 이 궤적들을 만나보고 더듬어갈 차례다……

A Korean Contemporary Artist :
Lee Kun-Yong in Snail's Gallop

Kim Kyoung-woon
Associate Curator
National Museum of Modern and Contemporary Art, Korea

To fulfill its ongoing mission of preserving and sharing the history of Korean contemporary art, the National Museum of Modern and Contemporary Art, Gwacheon created the Korean Contemporary Artists Series. This series provides an in-depth look at the work of leading artists who have actively supported and advanced the field of Korean contemporary art. The latest entry in this series is *Lee Kun-Yong in Snail's Gallop*, presenting the work of Lee Kun-Yong, one of Korea's representative avant-garde and experimental artists. For more than forty years, Lee has significantly expanded and diversified the ecosystem of Korean contemporary art with his relentless spirit of originality and experimentation.

Beginning of Relationship

In his early works, Lee Kun-Yong explored fundamental questions about the nature of art: What is painting? What is sculpture? What is the essence of an artwork, and where is that essence located? Using his imagination as transit, he set off on a journey into the past. Through his series of thought-experiments, he conveyed his realization that painting is nothing more than the rendering of an illusion on a flat surface, and that sculpture begins when natural objects are somehow manipulated by human hands. For Lee, this moment of rediscovery represented nothing less than the rebirth of art. It is not uncommon for contemporary artists to present objects that do not immediately strike us as artworks. Such objects only emerge as artworks through the coexistence of the object, the exhibition space, and the viewers. In such situation and in such space, the works of Lee Kun-Yong enter into a relationship with you, the viewers, and through this relationship, artworks are born. Then, through those artworks, we are engaged to contemplate the natural world and human action, with particular focus on the infinite interactions between the two.

Indeed, since the early 1970s, Lee has utilized the body as the core axis of his work, beginning with *Corporal Term* (1971), which he first presented at *the exhibition of Korean Artsists Association* held at the National Museum of Modern and Contemporary Art, Korea, which was then located in Gyeongbokgung Palace. Lee himself has cited *Corporal Term* as the foundation for all of his artwork. *Corporal Term* views the body as a mediator between the external world and the internal self, a basic idea that permeates all of the installments in the *Body Drawing* series.

Corporal Term consists of a large cube made from dirt, with the roots and lower part of a huge willow tree extending out of the top. Based on the title of the piece, Lee clearly intended for it to be read within the context of phenomenology. He stated that *Corporal Term* serves as the starting point for a "phenomenological way of seeing the body," which takes the window for seeing the world away from reason and returns it to the body. The cognitive system is generally thought to consist of the eyes and the mind, but Lee wanted to separate that system from objects and materials. Lee first presented *Corporal Term* to an international audience at the 8th Biennale de Paris in 1973.

Physical Painting

Lee Kun-Yong utilizes various media to invoke the close relationship between painting and performance. After all, every painting is the direct result of the physical actions of the painter. By the mid- to late twentieth century, artists were actively exploring the physical process of applying paint to a canvas. Some painters laid the canvas on the floor and splashed paint across it, while others poked holes in the canvas, or even tore completely through the canvas in order to paint the rips and shreds. Lee Kun-Yong similarly experimented with new and unconventional methods of painting. Traditionally, a painter stands and faces the canvas, but Lee questioned why a painter must assume such position in order to create. Thus, he placed himself to the side or behind the canvas, turned his back on the canvas, or laid the canvas on the floor. The resulting paintings are enriched by the resonance left behind from the limited and controlled conditions of his body position. Through these works, which are the direct outcome of his various performances, Lee was able to invent a new and unique vocabulary of painting.

For the *Body Drawing* series, Lee finds different ways of restricting his body's movement, and then performs the drawing under those restrictions. In all of the works of the *Body Drawing* series, Lee uses the act of drawing to demonstrate the relationship between the body and the conditions surrounding the body. For the first work in the series *Drawn from Behind*, he blindly reached around and drew on a large plywood veneer. Lee stood behind a large plywood veneer, and then reached around the veneer to draw on it. After stretching his arms out as far as possible to make some lines, he cut the veneer along those lines, and then repeated the entire process. As a result, the veneer got smaller, allowing him to reach further and further around it to make the subsequent drawings. Finally, the cut pieces were reconnected to form the final drawing that was exhibited. For the second work *Drawn with the Artist's Back toward the Plywood*, he stood facing away from the board and drew blindly behind his back. Lee stood in front of a veneer and reached back blindly to draw upon it, making quick, repetitive lines wherever his hand could reach; the final drawing essentially shows a silhouette of his body. For the third work *Drawn Standing Beside*, he stood to the side of the board and blindly drew on it by moving his arm up and down. Lee stood with his right shoulder against the veneer, and then drew a series of semicircles with his right hand; he then turn around and stood with his left shoulder against the veneer and drew with his left hand, thus producing a heart-shaped drawing. For the fourth work *Drawn while Untying the Splint*, he maximized the restraint on his body by putting his right shoulder, elbow, and wrist in a splint, and then drawing with the constricted arm. Lee tried to draw on a horizontal veneer while splints were sequentially attached and then removed from his shoulder, elbow, and wrist (respectively). In this drawing, the varying state of Lee's restriction or liberation can be seen in the differing length and location of his drawn lines. For *Drawing Lines between Legs*, Lee placed a piece of paper on the floor and then tried to draw straight lines on the paper while standing over it with his legs spread apart. Before each new line that he drew, Lee repeatedly announced, "I will draw a straight line." But despite his assertive claim, the resulting lines were inevitably curved and crooked due to the natural structure of his body.

The first seven works in the series were made under seven different restrictions, and he eventually added two more works to complete the *Body Drawing* series. For each work, every step of the process was documented with photographs, which were exhibited along with the veneer (or pieces of veneer) featuring the completed drawing.

Art Also Perishes

According to the popular aphorism, "life is short, art is long." However, Lee Kun-Yong puts his own provocative twist on this adage, declaring instead that "life is short, art is also short." Many of Lee's works consist of physical performances and activities, so they exist only a short time during the actual performance. Such works remain only through the visual traces captured in photos and videos, or through memories. Lee's statement that "art is also short" refers to the ephemeral nature of his works, but also conveys his belief in the interconnectedness between life and art.

At the 15th Bienal de São Paulo (October 3 - December 16, 1979), Lee Kun-Yong presented *Body Drawing*, along with a new performance entitled *Snail's Gallop*. For this performance on the opening day of the event, the barefoot Lee entered a large exhibition space, holding some white chalk. He began by squatting in one corner of the exhibition space and then drawing a white line on the ground in front of him, about the width of his body. Still squatting, he shuffled forward over the line and then drew another line on the ground. He methodically repeated this movement—drawing a line, shuffling across it, drawing a line, etc.—over and over until he had traversed all the way to the opposite wall of the large exhibition space, leaving a long trail of horizontal lines across the floor of the space. Moving at a snail's pace, Lee took about one hour to reach the opposite side of the room, at which point he quietly stood up again, bringing the performance to a close. The final "drawing" consisted of the long band of horizontal chalk lines. Interestingly, the work retained the physical traces of the artist, because many of the lines were scuffed or erased by the shuffling movements of Lee's bare feet.

In his final *AG exhibition* on December 16, 1975, Lee Kun-Yong presented *Logic of Place*, which became one of his representative "logical events." For this performance, Lee suddenly appeared in the middle of the exhibition space. He drew a circle on the ground, stood outside the circle, pointed to the circle, and said "Over there." Then he stepped into the circle, pointed down at his feet, and said "Here." He next stepped out of circle and, with his back turned to the circle, pointed back over his shoulder to the circle, saying "There." He repeated these acts multiple times, and also walked on the outline of the circle, saying "Where, where." Finally, he disappeared just as suddenly as he had appeared at the beginning.

For Lee, art is found not only on the walls of an exhibition space, but also on the floor, the ceiling, and everywhere else. Indeed, art exists in every person's daily life, even in the most mundane everyday activities. Some of his works directly relate the stories embedded in scenes from our lives, while others visualize the myriad connections between nature and art. Lee's intense interest in art and life is presented as a trajectory that he slowly and steadily paints.

《달팽이 걸음 _ 이건용》전 전시전경 ∣ Installation View of *Lee Kun-Yong in Snail's Gallop*

《달팽이 걸음 _ 이건용》전 전시전경 | Installation View of *Lee Kun-Yong in Snail's Gallop*

《달팽이 걸음 _ 이건용》전 전시전경 | Installation View of *Lee Kun-Yong in Snail's Gallop*

"전통적인 의미에서 화면과
그리는 사람의 눈과의
조응관계 때문에 행위자의
시선 앞에 화면이 놓이게
되며 눈(시각)과
손(행위)가 동시적으로
작품하게 되어있던 것이다.
사실상 전 미술사를 통하여
모름지기 손에 의해서
작업이 이루어지는 경우
조형자와 조형물과의
관계는 눈으로 보면서
창조행위를 한다는 것이 한
관례이다. 그러나 나는
그러한 회화작업상의
인식관계를 포기함으로써
신체가 지각자요
표현자라는 역설적인
회화인식 관계를 수립할 수
있었다."

이건용,
「신체적 회화」, 1985

《달팽이 걸음 _ 이건용》전 전시전경 | Installation View of *Lee Kun-Yong in Snail's Gallop*

Part 01. Beginning of Relationship

관계의 시작

신체항 71-2014, 원안 1971 / 재설치 2014
나무기둥, 뿌리, 흙, 자갈, 가변크기

———

Corporal Term 71-2014, 1971 / 2014
Trunk, root, soil, and gravel, Dimensions variable

신체항 71-2014 (부분), 원안 1971 / 재설치 2014
나무기둥, 뿌리, 흙, 자갈, 가변크기

———

Corporal Term 71-2014 (Detail), 1971 / 2014
Trunk, root, soil, and gravel, Dimensions variable

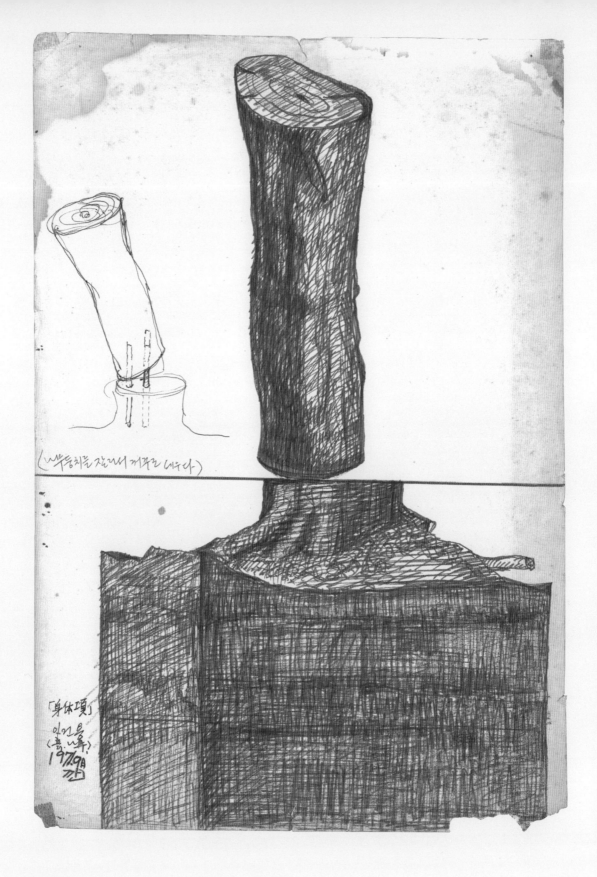

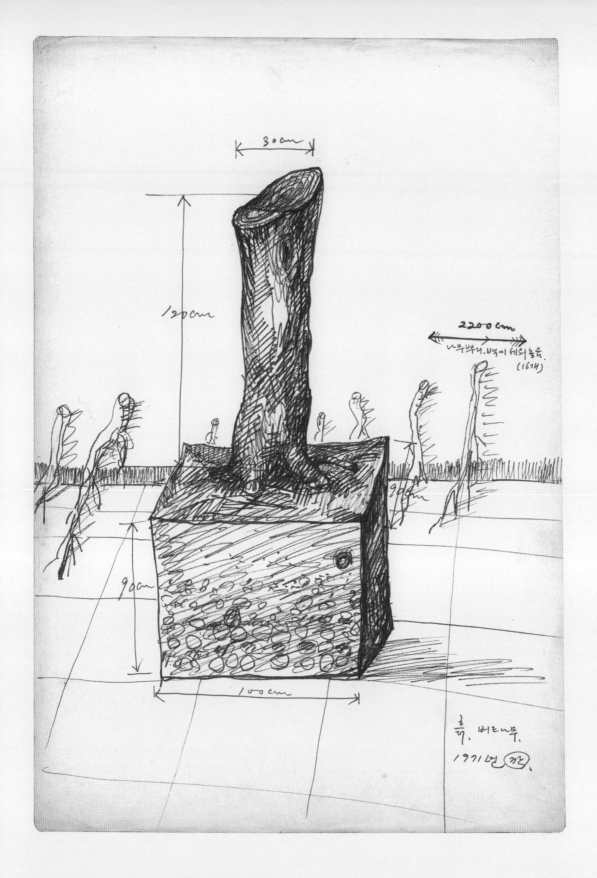

EDDA RENOUF

Go. 1973. Acrylique sur toile. 5 fois 22 x 22 cm. (Galerie Françoise Lambert, Milan)

Il y a une vie, une énergie dans chaque matériau
Le problème est de sentir cette énergie et puis
de la révéler par la voie la plus directe.
Transformant la structure de base, j'enlève, frotte,
efface et sable.

Non pas couvrir, mais découvrir.
Non pas fermer, mais ouvrir.
C'est alors ce que c'est.

Les lignes dessinées verticalement, horizontale-
ment; l'aléatoire, les espaces, l'air.

Non pas une image d'espaces fermés et lointains,
mais une entité directe, présente et tangible.

La couleur qui n'est pas plate
La couleur qui est la lumière
La couleur qui ne recouvre pas
La couleur qui ouvre
La couleur qui est ouverte
La couleur qui vibre doucement
La couleur qui est profonde
est faite de plusieurs glacis de couleurs
est faite de points de couleurs.

Non pas une production, mais une croissance
Non pas un métier, mais une expérience
en regardant, respirant, marchant, écoutant,
ressentant; alors vient le changement.

Je ne vis pas vite.
Mon art ne va pas vite, mais au rythme
d'un calme battement de cœur.   E.R.

Horizontal Points I. 40 x 40 cm. (Gal. Yvon Lambert, Paris)

1943, naissance à Mexico-City.
1961-65, études universitaires au Sarah Laurence college,
New York.
1966-67, études artistiques à Münich.
1967-68, études à l'Art Student League de New York.
1968-71, études à la Columbia School of the Arts, Colum-

Vertical Points. 1973. 40 x 40 cm. (Gal. Yvon Lambert,
Paris)

bia University, New York.
1972, s'installe à Paris.
Expositions personnelles
1972, Galerie Yvon Lambert.
1973, Galerie Françoise Lambert Milan.

GUEN YOUNG LEE
quelques mots
sur mes œuvres

Corps. 1971. Arbre et terre

Je garde précieusement sur moi une peinture
ancienne qu'un de mes aïeux avait peinte, et la
regarde avec plaisir. Une peinture où l'on trouve une
silhouette de pêcheur qui, rentrant chez lui, va tra-
verser le pont d'une petite rivière; un chien, aboyant
bêtement à la lune qui vient de se lever, accueille son
maître devant la porte entr'ouverte.

Le toit de chaume de la petite maison se cache à
moitié derrière la fumée et la brume du soir et au loin-
tain, se détachent vaguement des montagnes qui
semblent respirer avec cette vie de la nature.

Chaque fois que je contemple cette peinture, peinte à
l'encre de Chine, j'essaie à ma manière de la
«moderniser», et je m'aperçois toujours que
là-dedans, il n'y a aucune menace du futur, de telle
sorte que le présent et le passé originel s'identifient.

J'ai dit : la menace de futur. J'entends par là que
l'artiste doit se libérer de cette tyrannie du futur qui
étouffe le présent même et découvrir le monde struc-
turé immanent, ce monde qui se révèle comme
substance englobant le futur et le présent, voire le
passé. C'est seulement à partir de ce moment que
l'artiste peut établir une osmose totale entre le
monde et lui-même.

Ce sont précisément ces problèmes du rapport du
monde et de l'homme qui s'imposent à moi et que je
cherche à proposer dans mes œuvres récentes.
Œuvres faites d'objets divers : pierres, ficelles,
troncs d'arbres, terre, boîtes, papiers de Chine, colle,
etc... Elles veulent donner à voir la présence para-
doxale qui se donne au futur dans le sens du passé et
qui, ce faisant, détient celle-la dans toute sa présence
substantielle, cette présence conservant la
réalité absolue.   G.Y.L.

Guen Yong Lee est né en 1942 à Séoul. Il est diplômé de la
Faculté des Beaux-Arts de l'Université Hong-Ik à Séoul et
enseigne à l'Académie de Peinture Orientale. Il a participé à
de nombreuses expositions collectives, notamment au
Musée National d'Art Moderne de Séoul.
14

Terme relationnel. 1972. Arbre, pierre, corde

Le Terme Corporel. 1971. Tronc d'arbre, terre

Guen Yong Lee

né en 1942 à Séoul
vit à Séoul
enseigne le dessin et la peinture à
l'Académie de peinture orientale,
Séoul

Etudes et formation

Faculté des beaux-arts, Université
Hong-Ik, Séoul

Expositions collectives

1970
Exposition du grand prix de l'art
coréen, Musée d'art moderne, Séoul
1971
Groupe Space and Time, Centre
national d'information, Séoul
Association des artistes coréens,
Musée national d'art moderne, Séoul
Association de l'avant-garde
coréenne, Musée national d'art
moderne, Séoul
1972
Association de l'avant-garde
coréenne, Musée national d'art
moderne, Séoul
Association de l'avant-garde
coréenne, Centre national d'infor-
mation, Séoul
Association des artistes coréens,
Palais Duck-Soo, Séoul
1ᵉʳ Salon des Indépendants, Musée
national d'art moderne, Séoul
1973
Exposition plastique et anti-
plastique, Galerie Myong Dong,
Séoul

Œuvres exposées

Le terme corporel (A), 1973
(2 éléments, tronc d'arbre et terre,
250 × 100 × 100 cm)
Le terme corporel (B), 1973
(2 éléments, tronc d'arbre et terre,
50 × 250 × 1000 cm)

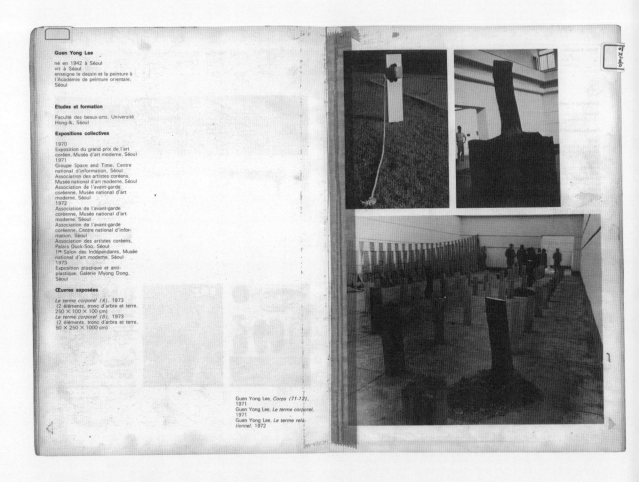

Guen Yong Lee, *Corps (71-12),*
1971
Guen Yong Lee, *Le terme corporel,*
1971
Guen Yong Lee, *Le terme rela-
tionnel,* 1972

Tamas Stjauby La tranchée portable pour trois personnes リンネル、木、硫黄 60×100×180cm ·

李健鏞 Le terre corporel 木の幹と土 250×100×100cm ·

<신체항> 작업과정, 1971
《한국미술협회전》, 국립현대미술관, 경복궁

Corporal Term-71 in progress, 1971
Exhibition of Korean Artists Association (MMCA, Gyeongbokgung Palace)

신체항-71, 1971, 흙, 나무
《한국미술협회전》, 국립현대미술관, 경복궁

Corporal Term-71, 1971, Soil, wood
Exhibition of Korean Artists Association (MMCA, Gyeongbokgung Palace)

신체항 71-73, 1973, 흙, 나무
《제8회 파리 비엔날레》, 파리시립미술관, 파리

Corporal Term 71-73, 1973, Soil, wood
The 8th Paris Biennale (Paris City Modern Art Museum)

신체항-88, 1988, 흙, 나무
《미술의 현재전 : 수평과 수집》, 일본츠카신홀, 오사카

Corporal Term-88, 1988, Soil, wood
Today's Art: Horizon and Verticalness (Zkaishin Hall, Seibu Museum of Art, Osaka)

44

신체항-99, 1999, 흙, 나무
《'99 한국현대미술기획 초대전 : 논리·삶·일상》, 한국문예진흥원 미술회관, 서울

Corporal Term-99, 1999, Soil, wood, *Logic, Life and the Commonplace*
(The Korean Culture and Arts Foundation Fine Art Center, Seoul)

신체항-2000, 2000, 흙, 나무
《제3회 광주비엔날레 한·일 현대미술전》, 광주시립미술관, 광주

Corporal Term-2000, 2000, Soil, wood
The Facet of Korean & Japanese Contemporary Art, the 3rd Gwangju Biennale (Gwangju Museum of Art, Gwangju)

신체항-2001, 2001, 흙, 나무
《한국현대미술의 전개》, 국립현대미술관, 과천

Corporal Term-2001, 2001, Soil, wood,
Korean Contemporary Arts from the mid-1960s to mid-1970s : Age of Transition and Dynamics (MMCA, Gwacheon)

47

관계항-72, 1972
나무상자, 돌, 가변크기

———

Relation Term-72, 1972
Wooden boxes, stones, Dimensions variable

관계항-72, 1972
나무상자, 돌, 가변크기

———

Relation Term-72, 1972
Wooden boxes, stones, Dimensions variable

《제1회 앙데팡당》 출품작 <관계항> 관련 드로잉, 1972   Drawing for *Relation Term* exhibited at the *1ˢᵗ Independent Exhibition*, 1972

《제1회 양대팡당》 출품작 <관계항>, 1972   *Relation Term* exhibited at the *1ˢᵗ Independent Exhibition*, 1972   **53**

관계항-78, 1978
나무상자, 나뭇가지, 돌, 분필선, 끈, 20 × 168 × 128 cm

———

Relation Term-78, 1978
Wooden box, branches, stone, chalk line, and rope, 20 × 168 × 128 cm

04

무제 83-1, 1983
은행나무, 56 × 73 × 127 cm

———

Untitled 83-1, 1983
Ginko tree, 56 × 73 × 127 cm

무제 83-2, 1983
은행나무, 76.5 × 54 × 124.5 cm

Untitled 83-2, 1983
Ginko tree, 76.5 × 54 × 124.5 cm

무제 83-3, 1983
나무상자, 나뭇가지, 124.5 × 76.5 × 54 cm

Untitled 83-3, 1983,
Wooden boxes, branch, 124.5 × 76.5 × 54 cm

무제 83-4, 1983
아카시아 나무, 100 × 126 × 8.5 cm

―――

Untitled 83-4, 1983
Acacia tree, 100 × 126 × 8.5 cm

무제 83-5, 1983
아카시아나무, 282 × 17 × 38 cm

―――

Untitled 83-5, 1983
Acacia tree, 282 × 17 × 38 cm

무제 83-6, 1983
아카시아 나무, 200 × 18 × 54 cm

———

Untitled 83-6, 1983
Acacia tree, 200 × 18 × 54 cm

무제 **83-7**, 1983
은행나무, 돌, 9 × 57 × 100 cm

———

Untitled 83-7, 1983
Ginko tree, stones, 9 × 57 × 100 cm

11

무제 83-8, 1983
은행나무, 14 × 101 × 15 cm

Untitled 83-8, 1983
Ginko tree, 14 × 101 × 15 cm

12

무제 83-9, 1983
아카시아 나무, 61 × 180 × 190 cm

———

Untitled 83-9, 1983
Acacia tree, 61 × 180 × 190 cm

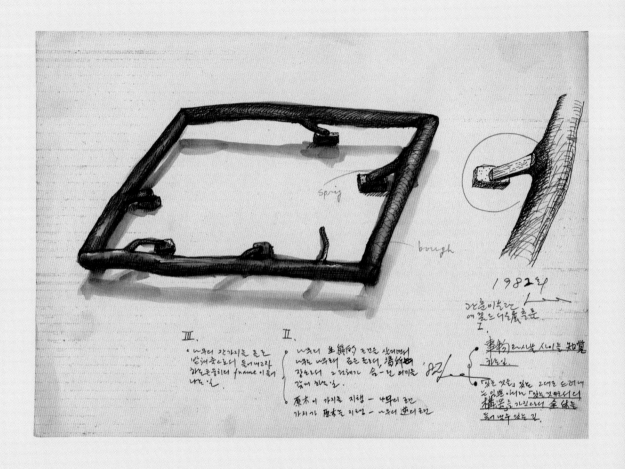

체(體) 82-4, 1982   Body 82-4, 1982

무제 83-10, 1983
아카시아나무, 120 × 88 × 26 cm

———

Untitled 83-10, 1983
Acacia tree, 120 × 88 × 26 cm

무제 83-11-2005, 2005
보리수나무, 188 × 230.5 × 20 cm

———

Untitled 83-11-2005, 2005
Linden tree, 188 × 230.5 × 20 cm

73

15

무제 83-3-2005, 2005
나무박스, 나무줄기, 238 × 120 × 95 cm

———

Untitled 83-3-2005, 2005
Wooden box, branch, 238 × 120 × 95 cm

16

무제 83-14, 1983
나뭇가지, 끈, 28 × 203 × 4 cm

―――

Untitled 83-14, 1983
Branches, strings, 28 × 203 × 4 cm

무제 84-1, 1984
은행나무, 17 × 18.5 × 133 cm

———

Untitled 84-1, 1984
Ginko tree, 17 × 18.5 × 133 cm

무제 84-2, 1984
은행나무, 20 × 57.5 × 183 cm

———

Untitled 84-2, 1984
Ginko tree, 20 × 57.5 × 183 cm

무제 84-3, 1984
은행나무, 20 × 30 × 30 cm

———

Untitled 84-3, 1984
Ginko tree, 20 × 30 × 30 cm

무제 84-4, 1984
은행나무, 24.9 × 19 × 32 cm

———

Untitled 84-4, 1984
Ginko tree, 24.9 × 19 × 32 cm

21

무제 84-5, 1984
오동나무, 31.5 × 23 × 102 cm

———

Untitled 84-5, 1984
Paulownia tree, 31.5 × 23 × 102 cm

무제 84-6, 1984
오동나무, 111 × 62 × 58.5 cm

———

Untitled 84-6, 1984
Paulownia tree, 111 × 62 × 58.5 cm

23

무제 84-7, 1984
은행나무, 37 × 31 × 30 cm

———

Untitled 84-7, 1984
Ginko tree, 37 × 31 × 30 cm

24

무제 84-11, 1984
오동나무, 37.5 × 54 × 46 cm

———

Untitled 84-11, 1984
Paulownia tree, 37.5 × 54 × 46 cm

25

무제 84-8, 1984
은행나무, 36 × 22 × 45 cm

———

Untitled 84-8, 1984
Ginko tree, 36 × 22 × 45 cm

26

무제 84-12, 1984
은행나무, 38 × 41 × 15.3 cm

———

Untitled 84-12, 1984
Ginko tree, 38 × 41 × 15.3 cm

무제 **84-10**, 1984
오동나무, 56 × 20 × 21cm

———

Untitled 84-10, 1984
Paulownia tree, 56 × 20 × 21 cm

28

무제 85-1, 1985
은행나무, 17 × 123 × 17 cm

——————

Untitled 85-1, 1985
Ginko tree, 17 × 123 × 17 cm

29

무제 85-2, 1985
은행나무, 9 × 74 × 5 cm

——————

Untitled 85-2, 1985
Ginko tree, 9 × 74 × 5 cm

30

무제 85-3, 1985
오동나무, 11.5 × 106.5 × 42.5 cm

Untitled 85-3, 1985
Paulownia tree, 11.5 × 106.5 × 42.5 cm

31

무제 85-5, 1985
오동나무, 23.5 × 154 × 34 cm

Untitled 85-5, 1985
Paulownia tree, 23.5 × 154 × 34 cm

무제 **86-1**, 1986
오동나무, 49 × 66 × 70 cm

———

Untitled 86-1, 1986
Paulownia tree, 49 × 66 × 70 cm

33

무제 86-3, 1986
오동나무, 94.5 × 91 × 86 cm

———

Untitled 86-3, 1986
Paulownia tree, 94.5 × 91 × 86 cm

87

34
무제 86-6, 1986
오동나무, 16 × 95 × 54 cm

———

Untitled 86-6, 1986
Paulownia tree, 16 × 95 × 54 cm

35
무제 86-7, 1986
오동나무, 35 × 96 × 40 cm

———

Untitled 86-7, 1986
Paulownia tree, 35 × 96 × 40 cm

지각의 오차 1971-2014, 1971 / 2014
나무상자, 가변크기

Perceptual Discrepancy 1971-2014, 1971 / 2014
Wooden boxes, Dimensions variable

포-군청색 A, B, C, 1974
천에 유채, 145 × 197 cm, 146 × 198 cm, 144 × 197 cm

———

Cloth-Ultramarine A, B, C, 1974
Oil on cloth, 145 × 197 cm, 146 × 198 cm, 144 × 197 cm

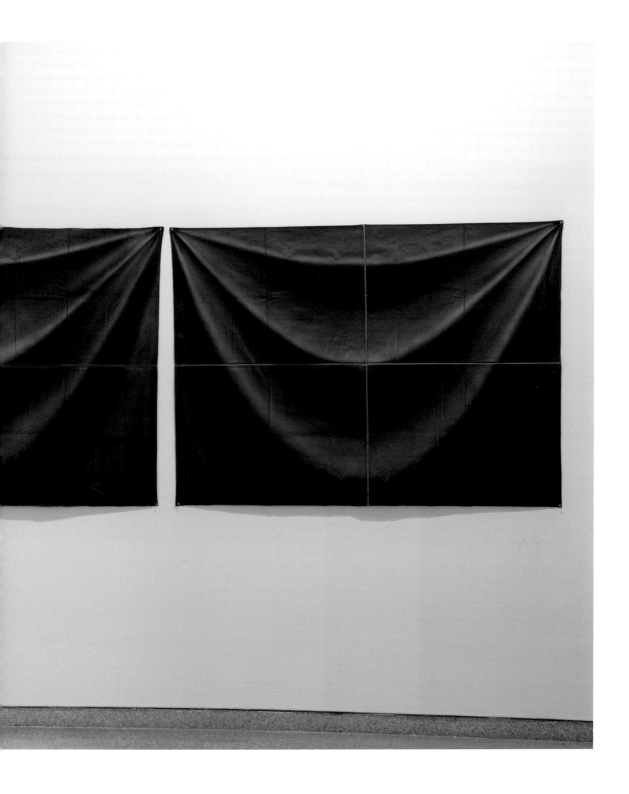

포-주머니, 1974
천에 유채, 170 × 263 cm

———

Cloth-Pocket, 1974
Oil on cloth, 170 × 263 cm

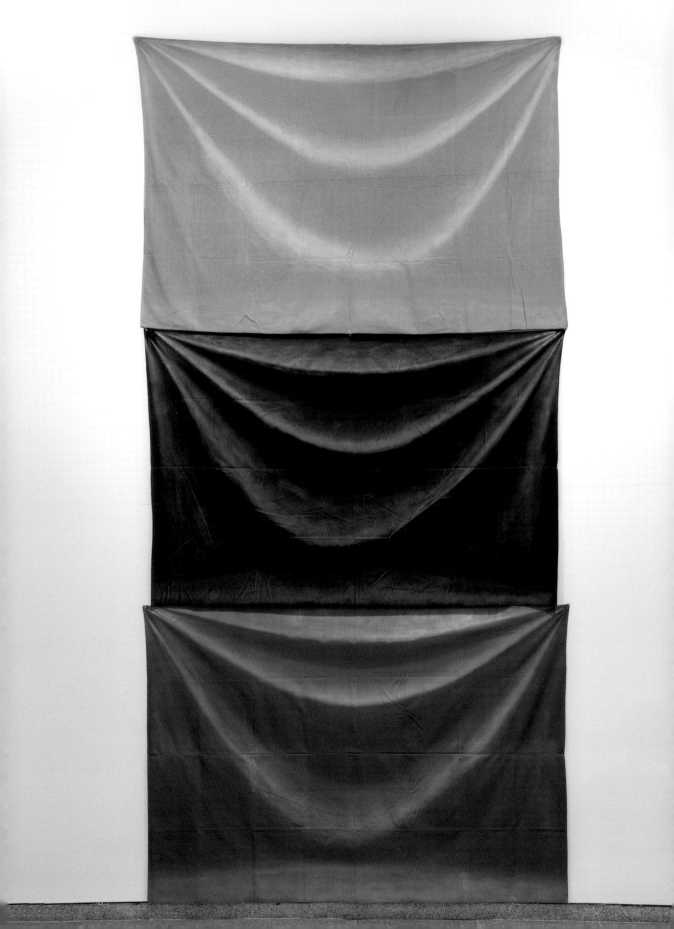

39
포-주황, 녹, 청, 1974
천에 유채, 180 × 165 cm, 168.5 × 254.3 cm, 179 × 263.3 cm

———

Cloth-Orange, Green, Blue, 1974
Oil on cloth, 180 × 165 cm, 168.5 × 254.3 cm, 179 × 263.3 cm

《제3회 ST》 출품작 <포-주황, 녹, 청> 사진, 1974   Photograph of *Cloth-Orange, Green, Blue* exhibited at the *3ʳᵈ ST Exhibition*, 1974

1994. 4A. ob

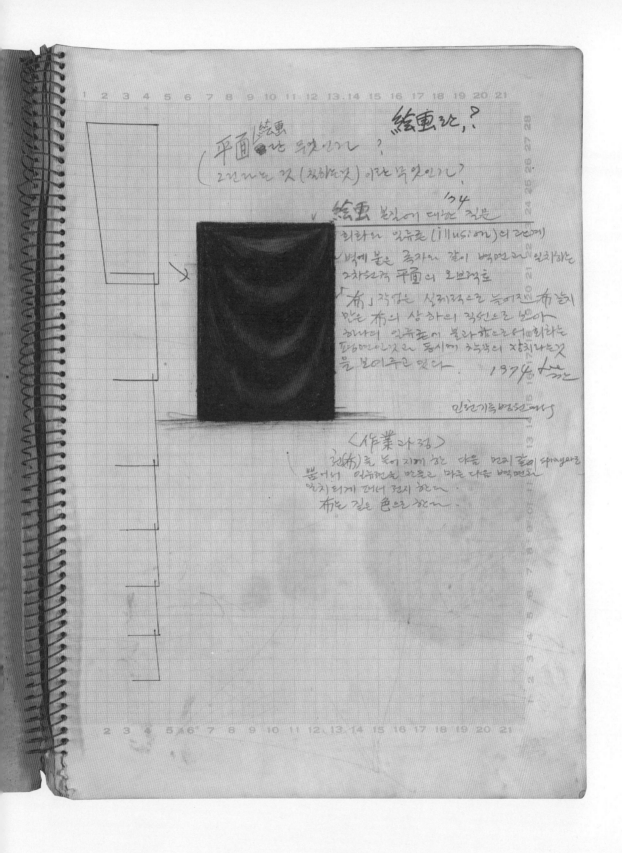

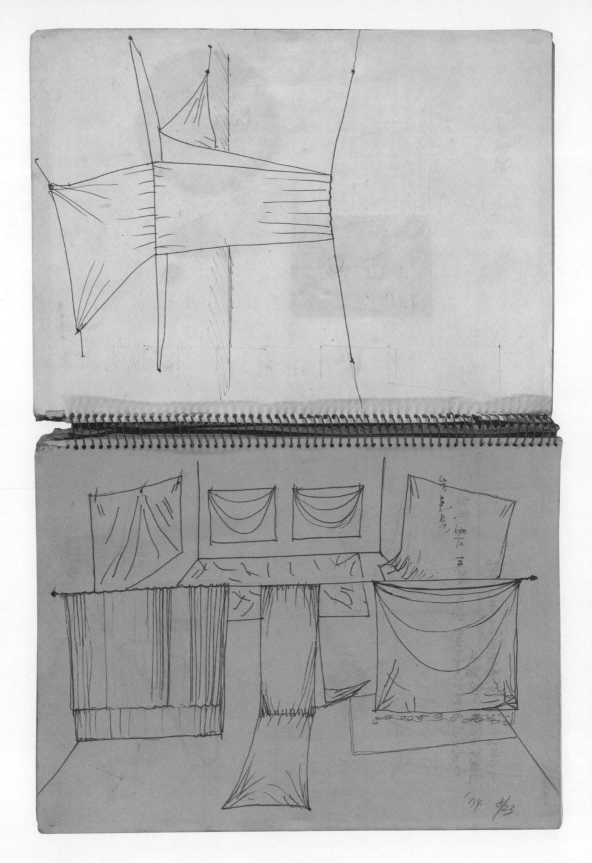

《제3회 ST》 출품작 <포(布)> 관련 드로잉, 1974   Drawing for *Cloth* exhibited at the *3rd ST Exhibition*, 1974

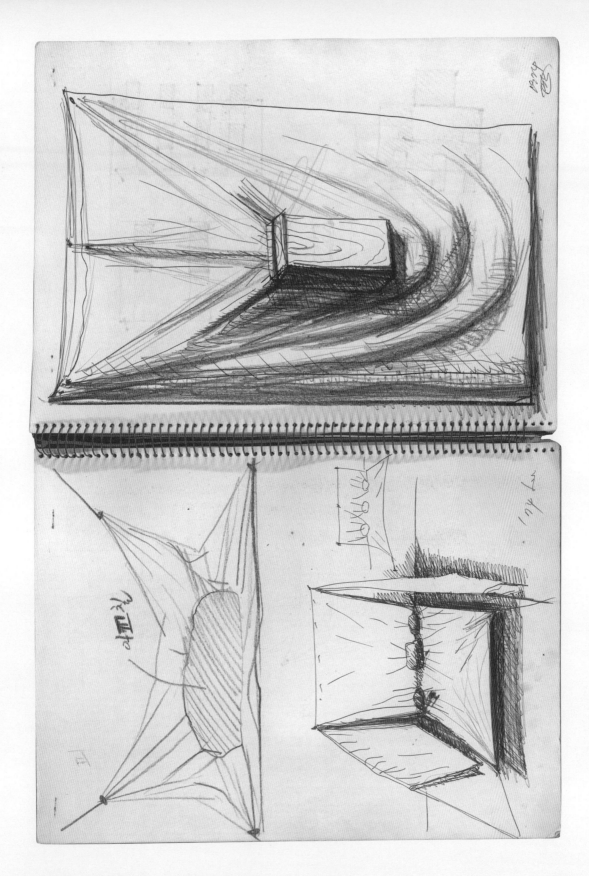

《제3회 ST》 출품작 <포(布)> 관련 드로잉, 1974   Drawing for *Cloth* exhibited at the *3rd ST Exhibition*, 1974

《제3회 ST》 출품작 <포(布)> 관련 드로잉, 1974   Drawing for *Cloth* exhibited at the *3rd ST Exhibition*, 1974

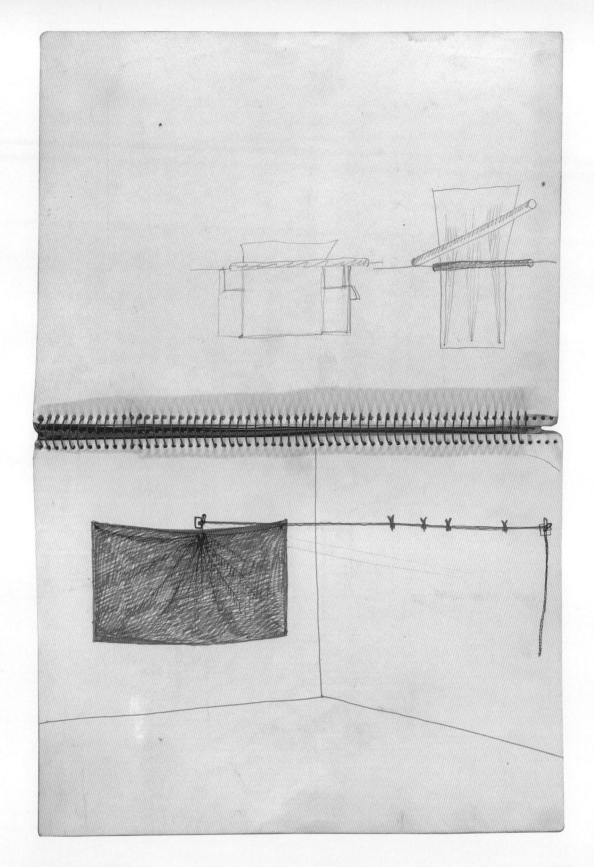

《제3회 ST》출품작 <포(布)> 관련 드로잉, 1974   Drawing for *Cloth* exhibited at the *3rd ST Exhibition*, 1974

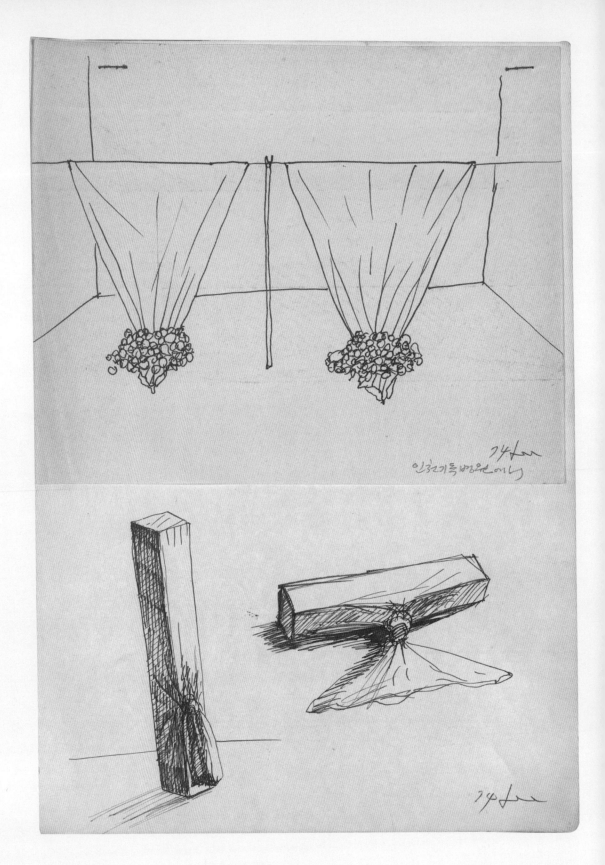

《제3회 ST》 출품작 <포(布)> 관련 드로잉, 1974   Drawing for *Cloth* exhibited at the 3rd *ST Exhibition*, 1974

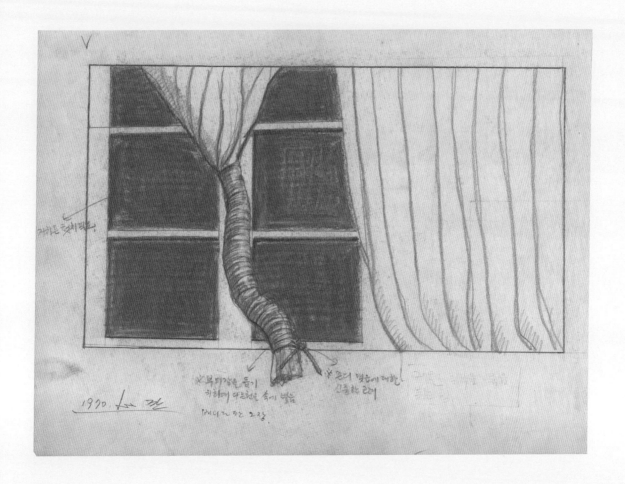

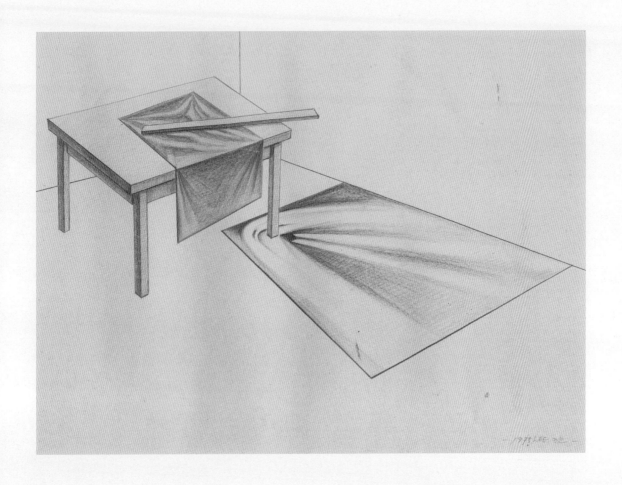

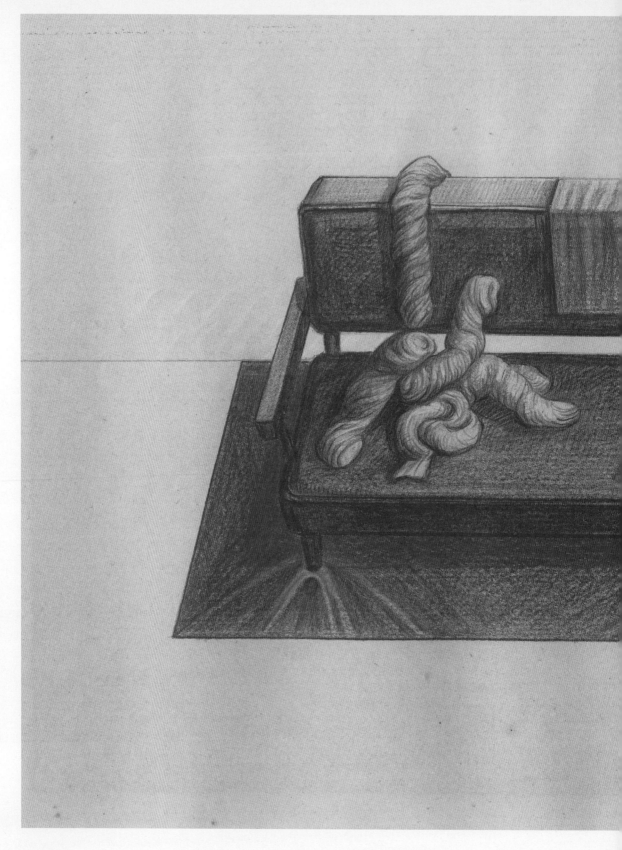

<포(布)> 관련 드로잉   Drawing for *Cloth*

—1975 LEE. つと—

40

물에 기생한 예술, 2002
캔버스에 아크릴릭, 나무틀, 사진, 컵, 58.5 × 48 cm

———

Parasitic Art on Water, 2002
Wooden frame, photo, cup, and acrylic on canvas, 58.5 × 48 cm

《달팽이 걸음 _ 이건용》전 전시전경 | Installation View of *Lee Kun-Yong in Snail's Gallop*

《달팽이 걸음 _ 이건용》전 전시전경 ∣ Installation View of *Lee Kun-Yong in Snail's Gallop*

《달팽이 걸음 _ 이건용》전 전시전경 | Installation View of *Lee Kun-Yong in Snail's Gallop*

'피로'의 드로잉
이건용의 「신체 드로잉」 연구 [01]

양정무
미술사, 한국예술종합학교

01
'피로의 드로잉'이라는 이 논문의 제목은 그가
1963년 일기에 쓴 '피로의 스켓취'라는 용어에서
유래하였다. 이 용어에 대한 자세한 소개는
이 글 5장에 있다.

02
2014년 6월 2일 필자와의 인터뷰.

프롤로그

"그린다는 것은 무엇입니까? 우리의 오감을 자극하거나 아름다움을 유발하기 위해서
그리는 것은 아닙니다. 애초에 '그리다'라는 행위 자체는 신체와 어떤 관계 안에서
그렇게 그릴 수밖에 없는 경우, 즉 항(項)을 만드는 것에 불과한 것입니다. 그러니까
'그리다'라는 것은 '그리다'라는 행위를 통해 사유하는 것을 말합니다." 이건용은
필자와의 인터뷰에서 그림에 대한 자신의 생각을 이렇게 털어놓았다.[02]

이건용은 그림이란 감상하는 대상이 아니라 인간 행위의 한계에 대한 사유의 기제라고
정의하고 있다. 곧이어 그는 자신의 이 같은 주장을 증명하는 작품을 소개하면서
이야기를 이어나갔다. 1976년에 초연된 〈신체 드로잉〉이 그것이다. 그는 이 회화적
이벤트에 대해서 다음과 같이 증언하였는데, 이는 그가 일궈놓은 회화세계의 한 지점을
명쾌하게 보여주고 있기 때문에 다소 길더라도 직접 인용하고자 한다.
이것이 동영상으로 작가의 육성이었으면 더 생생할 것 같다는 생각을 가져 본다.
73세의 노작가가 30대 청년 시절의 작업을 열정적으로 회고하는 장면을 연상하면서
다음을 읽어보면 좋을 듯하다.

"지금까지 미술사에서 이런 작가는 없었어요. 〈신체 드로잉〉이라는 것은 전무후무한
일입니다. 이것을 후에 다시 재현할 때 저는 관람객 앞에서 꼭 이렇게 말했죠.
아마 동경에서 할 때도 그랬고, LA에서 할 때도 그랬고, 북경에서도 그랬습니다.
'여러분들 나는 지금부터 미술사, 회화사에서 전혀 없었던 일을 할 겁니다.
여러분들은 기록할 수 있는 사진기를 가지고 있습니까. 여러분들 이 역사적인 순간을
기록하십시오. 내가 여러분들에게 특권을 드립니다. 만약에 집이 가까운 데 있으신
분들은 빨리 집에 가서 사진기를 가져 오십시오.' 이렇게 말하면 사람들은 막 웃습니다.
'화면 뒤에 가서 그리는 사람을 본 적이 있습니까? 난 지금부터 화면 뒤에서 그림을
그립니다. 자 보세요. 이 화면의 크기는 높이가 1미터 70센티입니다. 내 키만 한
화면입니다.' 그러면서 뒤로 가요. 화면 뒤에서 이렇게 말합니다. '여러분들 나를
볼 수 없죠? 안 보입니다. 내 키만 한 화면을 놨기 때문에 내가 뒤에 가 있으니까
안 보입니다.' 그러면서 이렇게 얼굴을 내밀어요. '내가 여기에 있네요.'하면 사람들은
또 막 웃어요. '자, 그러면 지금부터 내 키만 한 화면을 놓고 1미터 70센티의 키를 가진
이건용이 그림을 그리기 시작하겠습니다.' '자 여러분들은 내가 긋는 선이 보이죠?
나는 볼 수 없습니다.' 막 떠들어요. 그게 끝까지 진행되면, 전기톱으로 잘라내요.
그리고 그것을 옆에다 받쳐요. 다음에는 손을 조금 더 많이 집어넣고 그립니다.
선을 조금 더 그리면 나는 좀 더 자유로워집니다. 또다시 다음 칸을 잘라요. 이젠 얼굴이
드러나잖아요. '자, 보입니다. 이 대지가 다 보입니다.' 이제부터는 마치 뒤에서 평원을
내다보듯이 선을 긋기 시작합니다. 다 그리면 이것도 잘라내지요. 저는 또 말합니다.
'자기가 그려야 할 화면의 뒤에서 그리는 것을 본 적이 있습니까?

03
양정무, 「드로잉 미술사의 개념적 지형」,
『한국드로잉30년 : 1970-2000』, 2010,
pp. 14-5.

04
이건용의 작업노트는 부분적으로
소개된 바 있다. 이건용, 「방랑의 오솔길」,
『공간』, 1979. 9. pp. 93-5. 한편 그의
작업 노트와 개념 스케치는 부분적으로
《한국의 행위미술 1967-2007》
(국립현대미술관, 2007)에서 전시되기도
하였다. 이건용은 최근 그의 전시를 앞두고
국립현대미술관의 미술연구센터에서
『1963년 일기』부터 『1974년부터 79년까지의
작업 노트』 4권과 다수의 스케치북을 디지털
DB화하고 있다. 대부분의 『작업노트』는 사전의
준비드로잉이라기 보다는 퍼포먼스 직후에
상황을 정확히 기록하기 위한 것으로 보인다.

05
전시 카탈로그 자료는 다음 책에
수록되어 있다. 오상길, 김미경 엮음,
『한국현대미술 다시읽기II-6, 70년대
미술운동 자료집』 Vol. 1, 2001,
pp. 447-452. ST 전시의 의미로는 강태희,
「우리나라 초기 개념미술의 현황 : ST전시를
중심으로」, 『한국현대미술 1970 80』, 2004.

06
이건용은 자신의 〈신체 드로잉〉을 '드로잉의
방법(The Method of Drawing)' 또는
'현신(現身)'으로 부르기도 했다. 이 글에서는
편의상 〈신체 드로잉〉으로 부르고자 한다.

07
이건용이 주도한 ST 준비모임 팸플릿
'창립을 위한 연구회보'에서 그와 ST 그룹이
초현실주의에 대해 비판적이었다는 사실을
확인할 수 있다. 1970년 3월 14일자에
작성된 연구발표 초록에 따르면 초현실주의는
첫째 제작방법의 빈곤성을 초래하였고,
둘째 정치적 논쟁에 참여하였을 뿐만 아니라,
셋째 제작보다 제작정신을 중요시했다고
비판했다. 이건용 외, 「창립을 위한 연구회보」,
『한국현대미술 다시읽기II-1』, 2001,
pp. 387-389 재수록. 특히 자동기술
(automatism)은 '반사적으로 손을 움직이는데
불과함으로 심화작용(深化作俑)에는 실패'
했다고 적었다. 〈신체 드로잉〉을 자동기술로
읽는 것은 수정되어야 할 것이다.

잭슨 폴록(Jackson Pollock, 1912-1956)이나 이브 클라인(Yves Klein, 1925-1962)도 자기가 그려야 할 것을 자기 앞에 현존시켜 놓고 그렸습니다. 말하자면 잭슨 폴록은 화면을 깔아 놓고 무의식적으로 했기 때문에 무엇을 그린다는 것을 모르겠다고 말을 하지만, 자기가 보면서 그리고 있습니다.' 그러나 나는 화면 뒤에 가 있든가 뒤에서 그립니다. 그렇기 때문에 내 의식을 그리는 것이 아니라 내 몸이 그리고 있습니다. 몸은 무엇일까요? 한국 사람은 몸을 정신과 육체로 같이 생각하고 있습니다. 내 몸이 아프다는 것은 내 마음도 불편하다는 것을 의미한다고 한국 사람들은 믿고 있습니다."

이건용이 여기서 언급하고 있는 이벤트는 1976년에 처음 시도된 일련의 〈신체 드로잉〉 연작 중 제 1번에 해당한다. 그의 말대로 자신의 키 높이에 해당하는 1미터 70센티 높이의 베니어합판을 세워놓고 뒤에서 손을 뻗어 반복적으로 선을 그은 다음 그려진 부분을 톱으로 잘라낸다. 그다음 다시 뒤에서 더 깊숙이 앞으로 손을 넣어 드로잉을 한 후 다시 잘라내기를 반복해 나간다.^(도판-01) 그의 『1976년 작업 노트』에는 위에서 아래까지 5단계로 나뉘어 있고, 각 파트의 높이가 소수점까지 치밀하게 적혀있다.^(도판-02) 다섯 개의 잘려진 캔버스는 잘려진 순서대로 바닥에서부터 다시 연결되어 전체를 이룬다.^(도판-03)

이건용은 이처럼 신체의 한계를 냉정히 드러내는 드로잉 작업을 1976년 《ST》 전시부터 대대적으로 선보였는데 이렇게 이벤트와 연계된 드로잉 연작은 1979년의 제15회 상파울루 비엔날레에서 행한 〈달팽이 걸음〉으로 대단원을 맺게 된다. 나의 글은 이건용의 작품 세계를 그의 9개의 〈신체 드로잉〉과 〈달팽이 걸음〉에 초점을 맞춰 살펴보고자 한다. 시간상으로는 1976년부터 1979년까지이며, 이건용의 나이로는 33세에서 36세 사이의 작업이 되는데, 이 시기의 〈신체 드로잉〉 연작은 그의 초기 실험적 작업을 집약하고, 이후 작업을 예견한다고 평가할 수 있다.

이건용의 작품세계를 논할 때 〈신체 드로잉〉은 빠짐없이 들어갔으나, 아직까지 독립적인 연구 주제로 본격적으로 다뤄진 적은 없으며, 이 작품을 현대 미술사의 맥락에서 재평가하는 시도도 미약하였다. 나는 2010년에 《한국드로잉30년 : 1970-2000》을 기획하면서 이건용의 〈신체 드로잉〉의 의미를 재평가하려 하였다. 나는 이 전시의 카탈로그에서 〈신체 드로잉〉이 드로잉의 신체성을 극한으로 끌고 나가면서 동시에 그것을 종결시켰다고 평가하였다. 이건용은 그리기 행위를 철저한 신체적 반복의 결과로 치환시켜버리면서, 동시에 전통적 보고 그리기 식의 드로잉 개념을 전복시켰다고 본 것이다.⁰³ 이 같은 나의 주장은 지금 시점에서도 여전히 유효하다고 생각하지만, 이제는 이를 좀 더 심화시켜야 할 단계라고 생각한다. 한편 국립현대미술관에서 열리는 이건용에 대한 대규모 회고전과 함께 『작업 노트』와 『드로잉 북』 같은 새로운 자료의 출현도 그에 대한 새로운 연구를 요구하고 있다.⁰⁴

도판 Fig - 01
신체 드로잉 76-1 (뒤에서), 1976

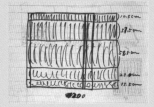

도판 Fig - 02
1976년 작업노트-Event−Logical 부분,
1976

도판 Fig - 03
신체 드로잉 76-1 (뒤에서), 1976

I. 〈신체 드로잉〉의 서사성

이건용의 〈신체 드로잉〉은 1976년 11월 22일부터 27일까지 서울 출판문화회관에서 열린 제5회《ST》전에 처음 출품되었다.[05] 전시를 앞두고 이건용은 1번부터 7번까지의 신체 드로잉 작업을 성능경의 녹번동 화실에서 제작하였고, 그것의 제작과정을 담은 사진과 결과물인 베니어합판을 전시장에 전시하였다. 그리고 오프닝 당일에는 '76-5'로 불리는 신체 드로잉 5번 〈다리 사이로 선긋기〉의 퍼포먼스를 직접 실행하였다.

이건용의 〈신체 드로잉〉 연작은 모두 신체의 움직임을 제한시킨 후, 그리는 퍼포먼스에 들어간다. 앞서 소개한 '76-1'의 경우 화판 뒤에서 손을 앞으로 내밀고 그어 나가고, '76-2'의 경우는 화판을 등지고 팔을 뒤로하고 그린다.[도판-04] '76-3'의 경우는 화판 옆에 서서 팔을 위아래로 회전시킨다.[도판-05] 신체의 구속은 '76-4'에서 극대화되는데, 여기서 작가는 오른팔의 팔꿈치와 손목에 각각 부목을 대고 긋기를 시작하다가, 손목 부목부터 하나씩 풀면서 다시 그어나간다.[도판-06] 이건용은 처음에는 7개의 조건으로 나눠 연작을 이뤄나갔고, 다음에 2개를 더해 자신의 신체 드로잉 연작을 총 9개로 구성하였다.[표-01][06] 각각의 퍼포먼스는 단계별로 사진으로 기록되었고, 최종적으로 완성된 화면은 독립적으로 전시되기도 하였다.

몸을 축으로 하여 팔을 회전시켜 완성하는 이건용의 〈신체 드로잉〉은 초현실주의의 오토마티즘(automatism)과 비교되기도 하지만 둘은 일단 구별시켜 봐야 할 것이다. 오토마티즘이 무의식의 세계에 도달하기 위해 손 가는 대로 그려나가는 방식인 반면, 이건용의 경우 그리는 행위가 여러 각도로 나눠 체계화되었고, -작업 노트에서 확인할 수 있듯이- 매 행위의 단계를 분석적으로 계산하여 진행한다. 뿐만 아니라 〈신체 드로잉〉 속에서 그리는 행위는 일정한 동일행동의 반복으로 이뤄진다는 점도 오토마티즘의 그것과는 확연히 다르며, 나아가 추상표현주의나 앵포르멜 미술과도 양식적으로 구별된다.[07]

이건용은 〈신체 드로잉〉을 통해 '선의 본질을 드러내고자 했다'고 술회한 바 있다. 그의 드로잉은 신체의 움직임을 제한시킨 상태에서 그리기 행위를 반복시켜 역설적으로 그리기라는 행위가 가지는 가치를 새롭게 인식시켜 준다는 것이다. 그의 화면에 새겨진 필선은 결과적으로 그리기의 본질적 행위의 지표로 각인된다. 특히 신체의 논리와 선의 논리의 긴장감도 중요한 주제인데, '76-5'의 경우에서 양자의 모순이 극대화된다. 그는 베니어 화판을 바닥에 놓고 그 위에 양다리를 벌리고 직선을 그어 나간다. 1976년《ST》전의 오프닝에 실연될 때 작가는 선을 그을 때마다 "곧은 선을 그을 거야"를 외쳤다. 당연히 신체적 조건 하에서 곧은 선은 불가능하지만, 그는 거듭 선을 그으면서 "곧은 선을 그을 거야"를 외친다.[도판-07] 이는 그리기라는 행위 속에 내재된 신체의 한계를 보여주는 것으로 해석할 수 있다.

08
이건용은 필자와의 인터뷰에서 자신의
드로잉에 대해 다음과 같은 평가를 내린 바 있다.
"내가 드로잉을 한다는 건 본래 자유로운 표현을
더 필연적이고, 더 자연스럽게 드러내는
일입니다.";"표현이 필연을 만들고, 신체를
통해 자연스럽게 드러내는 방법이다."

09
양정무, 위의 논문.

10
이건용의 「1979년 대전 남계화랑 퍼포먼스
기록노트(이하 「1979년 작업노트」)」 중
6월 10일부터 16일자 기록 참고.

11
David Joselit, "Mathew Barney-
San Francisco Museum of Modern Art",
Art Forum International, 2006. 9.

이처럼 그린다는 것의 본원적 의미를 되묻기 위해 그가 선택한 접근 방식은 대단히
도발적이며, 우상 파괴적이다. 문제 제기 방식의 파격성은 1971년 〈신체항〉 이후부터
그의 1970년대 작업에서 꾸준히 등장하는 방식인데, 선승의 죽비가 주는 타격처럼
강렬하지 않다면 관성을 탈피한 새로운 사고의 전환은 어렵다는 그의 의지가 정확히
반영된 결과이다. 특히 〈신체 드로잉〉의 경우에는 일차적으로 화가와 화면의 일상적
관계를 전복시키면서, 양자의 대면 방식을 새롭게 설정하고 있다. 화가는 화면 뒷면이나
옆에 서거나, 등을 지기도 한다. 여기서 화가의 신체적 움직임은 한두 가지 방향으로
제한되면서 반복을 거듭한다. '76-4'의 경우에는 아예 부목을 이용한 장애를 손과 팔에
설정하면서 그리기를 고통스러운 행위로 만들어 버렸다. 결과적으로 이렇게 비틀려진
설정에 의해 그리기는 고된 노동이 되면서 화면에 남겨진 필선은 그것의 결과로 힘겹고
거칠다.[08] 이러한 그의 필선은 1975년부터 본격화되는 단색화에 등장하는 상대적으로
유려한 필선들과 흥미로운 비교 대구를 이룬다.(도판-08,09) 이 시기 단색화에 나타나는
필선은 전통적인 그리기의 연장선 하에서 나온 것으로 보다 유연하게 펼쳐져 있지만,
이건용의 경우 행위가 그리기를 압도하면서 거칠면서 도발적이다.[09]

이건용은 〈신체 드로잉〉에서 그리기라는 행위에 따라붙는 일상성이나 유희성,
나아가 낭만성 등을 철저히 배제했다. 결과적으로 그는 그리기를 무거운 철학적 사유의
대상으로 만들어 버렸는데, 이러한 무거움은 일차적으로 이건용 개인의 취향일 수도
있지만, 크게 보면 암울한 당시의 시대적 상황을 반영한 결과일 수 있다. 그는 자신의
〈신체 드로잉〉에 드러난 아이러니와 불편함이 일정 부분 당시의 권위주의적 정치적
상황과 연관이 있음을 시사한 바 있다.

> 체제와 권력이 공공의 담론적 역량을 전유하고 무효화시킨 변질된 삶의 공간에서 나를
> 표현, 표기하는 방법과 각인시킬 수 있는 유일한 길은 통제의 메커니즘을 전복하는
> 길이었는데 나는 「신체 드로잉」이라는 방법을 통해서 1976년부터 시작하였다.[10]

이건용은 이 글에서 정치권력이 개인의 신체까지 침투해오는 것에 대한 폭로와 저항의
의미로 자신의 〈신체 드로잉〉을 평가하고 있다. 그것을 당시 이건용이 처한 정치적 상황과
연결해 본다면 그 절박함을 확인할 수 있다. 이 시기 이건용은 정부 권력기관으로부터
사회불안을 일으키는 불온한 '퇴폐적 예술가'로 의심받게 되고 고문과 함께 감시받는
처지에 놓이게 된다. 이건용은 정부의 감시가 1975년 발표한 일련의 이벤트 작업 때문
일 것이라고 짐작하고 있는데 이에 대한 논의는 본 논문의 후반에 다시 다루고자 한다.

이건용의 〈신체 드로잉〉이 가지는 미술사적, 나아가 시대적 의미는 그와 유사한 방식의
작업태도를 취하는 매튜 바니(Matthew Barney, 1967-)의 드로잉 작업과 비교를 통해
선명해질 수 있다. 매튜 바니는 이건용과 마찬가지로 신체 움직임을 인위적으로

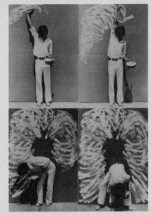

도판 Fig - 04
신체 드로잉 76-2(화면을 뒤에 놓고), 1976

도판 Fig - 05
신체 드로잉 76-3(화면을 옆에 놓고), 1976

도판 Fig - 06
신체 드로잉 76-4(부목을 풀면서), 1976

제한시킨 상태에서 드로잉을 하는 일련의 연작을 1987년부터 발표한다. 매튜 바니는
이 작업을 '구속의 드로잉(Drawing Restraint)'이라고 명명하였고, 대학 시절 자신의
작업실에서 최초로 시도한 후 오늘날까지 총 20개의 시리즈를 발표하고 있다.
매튜 바니의 〈구속의 드로잉〉 시리즈 중 이른 시기에 해당하는 1번부터 6번은 이건용의
〈신체 드로잉〉 작업과 흥미롭게 비교된다.[도판-10,11] 여기서 이건용과 매튜 바니 모두
신체의 한계를 설정하고 그 조건 하에 그리기 방식을 과정적으로 보여주는 '자기명료한'
(self-referential) 구조를 취하고 있다. 두 작가가 모두 자신의 의도를 연작으로
풀어나가고 그것을 시리즈 번호로 매기고 있다는 점도 공통적인 작업 태도이다.

이건용의 〈신체 드로잉〉 1번과 2번을 매튜 바니의 〈구속의 드로잉〉 1번, 2번과
비교해 보면, 두 작가 모두 화면을 일상적이지 않은 곳에 위치 지으면서, 동시에
신체의 움직임을 제한시킨 상태에서 그리기를 시도한다는 점을 공통점으로 읽어낼 수
있다.[도판-12,13] 예를 들어 매튜 바니는 자신의 작업실을 헬스클럽이나 암벽 등반실처럼
만든 후 여기에 다시 몸을 고무 밴드로 묶어 활동을 크게 제한한 상태에서 벽이나
천장에 붙인 종이 위에 뛰어오르거나 매달려서 드로잉을 해나간다. 〈구속의 드로잉〉
1번에서 매튜 바니는 다리의 허벅지를 고무 밴드로 묶은 채 벽면에 대각선으로
세워놓은 판 위를 디딤돌로 삼아 벽을 타면서 천장 가까이 벽면 위에 붙인 종이 패드에
드로잉을 했다. 그는 이 같은 드로잉 행위를 비디오카메라로 녹화했다.

매튜 바니가 걸쳐 세워 놓은 벽면 위에서 나무 막대기에 연필을 묶어 벽면 위에 어렵게
그림을 그린다면, 이건용은 〈신체 드로잉〉 1번에서 자신의 키 높이의 베니어 화판 뒤에
서서 손을 내밀고 긋기를 해나가고 있다. 두 작가 모두 신체의 활동을 크게 제한시킨
상태에서 드로잉을 행하면서 결국 드로잉의 신체성을 묻는 작업을 보여준다고 할 수
있다. 이 점은 이건용의 〈신체 드로잉〉 2번과 매튜 바니의 〈구속의 드로잉〉 2번에서도
계속해서 확인할 수 있다. 이건용은 자신의 뒤에 있는 화판에 그림을 그리기 위해
팔을 뻗어 올리고 있고, 매튜 바니는 맞은 편 벽면에 그림을 그리기 위해 팔을 뻗고
있다.[도판-10,11] 이러한 설정과 함께 두 작가 모두 그것을 진행하는 과정을 사진이나
비디오 같은 기록매체를 통해 보여주고 있다.

매튜 바니의 드로잉 작업은 신체의 한계와 가능성을 확장된 의미의 드로잉 개념 하에서
살펴보고, 나아가 그리기에 대한 육체적 욕망을 잡아낸 것으로 평가받고 있다.[11]
고등학교 시절에 유망한 미식축구 선수였던 그는 아울러 예비 의학도의 경험을 살려
신체의 한계와 가능성을 드로잉의 과정을 통해 증명하려 했다. 다분히 그의 의도는
신체에 가해진 자학적 한계보다는 그것의 극복에 초점이 맞춰져 있고 바로 이 점에서
이건용의 드로잉과 차이를 보여준다. 매튜 바니는 여러 도구를 통해 신체의 움직임을
장황하게 설정하면서 과제를 풀어나간다.[도판-11,13] 따라서 매튜 바니는 훈련 가능한

12
Klaus Kertess, "Matthew Barney-
Drawing Spirit", *Subliming Vessel:
The Drawing of Matthew Barney*,
Morgan Library and Museum,
2013, pp. 63-65.

13
*All in the Present Must Be Transformed:
Matthew Barney and Joseph Beuys*,
Deutsche Guggenheim, 2006.

14
제15회 상파울루 비엔날레의 한국관은 당시
한국 미협이 주관하였다. 오광수가 커미셔너로
지명되면서 이건용 외에도 최병소, 이상남,
박현기 등 총 10명의 한국 작가가 참가하였다.

15
〈달팽이 걸음〉은 이건용이 성능경의 집에서
호주에서 발행하는 헤미스피어 잡지에서 본 사진
한 장에서 아이디어를 얻은 것으로 전해지고
있다. 성능경, 「이건용, 캔버스어 흔들려라-
군더더기 없는 논리의 퍼포먼스」
『가니아트』, 1996.

16
1979년 대전 남계화랑 퍼포먼스 기록노트;
6월 14일.

17
이 프로젝트는 샌프란시스코에서 발행하는
미술 잡지 쥭타포즈(Juxtapoz)사와
디트로이트의 파워하우스(Power House
Production)라는 비영리 미술단체가 공동으로
기획한 것이다. 쥭타포즈사와 공동으로
파워하우스는 코뮤니티 아트와 레지던시
프로그램을 통해 2009년에 자선경매를 열었고
여기서 마련된 기금으로 디트로이트 지역에
공간을 마련하였다. 2012년부터 이 활동이
궤도에 올랐고, 여름에는 이스트 데이비슨
프리웨이(East Davison Freeway)의
폐기된 상업지역에 'The Ride It Sculpture
Skate Park'를 만들었다. 이 공원을 위해
새로운 자선경매가 열렸고 이 때 여러 작가들이
스케이트 보드대를 위한 설계를 내놓았다.
이 사업은 〈쥭타포즈(Juxtapoz)〉 2013년
2월호에 자세히 소개되어 있다.

신체를 상정하여 상대적으로 과장적이며 낙관적인 방식으로 드로잉의 신체성을
보여준다. 반면 이건용의 자세는 보다 냉철하고 침착하다. 이건용은 최소한의 드로잉
도구만을 가지고 그리는 문제에서 신체의 의미를 묻고 있다.〈도판-08, 10〉

이건용의 작업이 가지는 역사적 무게감과 사상적 깊이감은 다음의 비교를 통해 더 부각
될 수 있다. 매튜 바니는 〈구속의 드로잉〉 6번에서 트램펄린(Trampolin)을 이용하여
뛰어오르면서 그림을 그린다.〈도판-15〉 활력과 스피드가 곧바로 느껴지는 작품이다.
반면 이건용의 〈신체 드로잉〉 4번은 부목을 이용하여 팔꿈치와 손목을 구속하다가,
이것을 하나씩 풀어나가면서 긋기를 확장시켜 나간다.〈도판-14〉 팔의 움직임을 의도적으로
제한시켜 드로잉을 지배하는 요소가 시선과 의식만은 아니라는 사실을 새롭게 확인
했다고 볼 수 있으며, -훗날 스스로 지적한 대로- 개인에 가해진 사회적 권력의 문제를
자기 방식대로 제기하고 해소해 나갔다고 볼 수도 있다.

매튜 바니의 〈구속의 드로잉〉은 브루스 나우만, 비토 아콘치, 요셉 보이스가 시도했던
'프로세스 미술(Process Art)'의 맥락으로 읽히고 있다.[12] 급기야 2006년에는
매튜 바니와 요셉보이스의 《2인 드로잉》전이 베를린의 도이치 구겐하임(Deutsche
Guggenheim) 미술관에서 열리기도 했다.[13] 상상컨대, 매튜 바니의 드로잉 퍼포먼스
연작을 이건용의 신체 드로잉과 비교하는 전시가 열리게 된다면, 지구 양쪽에서 벌어진
드로잉과 신체성에 대한 문제를 보다 새로운 각도에서 확인할 수 있을 것이다.
이건용은 필자와의 인터뷰에서 서구의 미술을 '의식 과잉, 표현 과잉'이라고 평한 적 있다.
매튜 바니의 〈구속의 드로잉〉은 작가의 작업실이라기보다는 헬스클럽같이 장황하게
설정된 공간에서 벌어지면서, 고무 밴드를 끌거나 트램펄린을 이용해 뛰어오르면서
몸을 구속하는 방식을 연극적으로 설정했다고 볼 수 있다. 반면, 이건용은 화판과
자신의 관계를 재설정하면서 간결하게 신체와 그리기의 문제를 제기한다. 매튜 바니는
운동선수의 활력과 에너지로 화면을 향해 뛰어 오르지만, 이건용은 자신이 설정한
몸의 과제를 침착하게 수행한다. 이건용이 〈신체 드로잉〉에서 보여준 묵언 수행 중인
수도승의 그것처럼 담담함은 다음 장에서 논의하는 〈달팽이 걸음〉에서 더욱 강조된다.

2. 〈달팽이 걸음〉 읽어내기

이건용은 1979년에 열린 제15회 상파울루 비엔날레(Bienal de São Paulo, 1979년
10월 3일-12월 16일)에 참가하여 〈신체 드로잉〉과 함께 〈달팽이 걸음〉이라는 새로운
퍼포먼스를 선보인다.[14] 오프닝 당일 이건용은 흰색 분필 한 통을 든 채 맨발로 전시장
한 구석에 쪼그리고 앉아 오른손으로 좌우 수평으로 선을 그으면서 맞은편 쪽으로
점진적으로 나아갔다.〈도판-16〉 150여 평의 전시장 한쪽 구석에서 시작하여 문자 그대로
달팽이처럼 조금씩 30여분에 가까운 시간을 움직여서 맞은 편 전시장 벽면까지 간 후
조용히 몸을 일으켜 세워 일어나면서 막을 내리는 퍼포먼스였다. 바닥 위에 무수히

도판 Fig - 07
신체 드로잉 76-5(다리 사이로 선긋기)

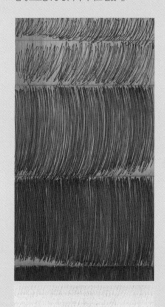

도판 Fig - 08
신체 드로잉 76-1(뒤에서), 1976

도판 Fig - 09
박서보, 묘법 No.43-78-79-81,
면천에 유채, 193.5×259.5cm, 1981,
국립현대미술관

그은 수평의 분필 선으로 만들어진 띠는 미묘하게 내딛는 발바닥으로 계속 지워지면서 긴 분필 띠의 중심은 두 맨발의 흔적을 가지게 된다.[15]

화폭 대신 전시장 바닥면을 화면으로 삼고 있지만, 신체 활동을 제한시킨 상태에서 선을 반복적으로 그어나간다는 점에서 〈달팽이 걸음〉은 기본적으로 1976년의 〈신체 드로잉〉과 유사점을 지닌다. 실제로 이건용 자신도 대전 남계화랑에서 1979년 6월 〈달팽이 걸음〉을 시연하면서 기존의 〈신체 드로잉〉을 후면에 배치하였고, 이를 〈신체 드로잉〉이라는 의미로 'B.D.(Body Drawing)'라고 기록한 바 있다.[16]

이건용의 〈달팽이 걸음〉도 매튜 바니의 최근 작업 〈구속의 드로잉〉 19번과 비교한다면, 그것의 지향점이 한층 더 선명해진다. 매튜 바니는 2012년 미국 디트로이트 시에서 벌어진 미술을 통한 도시재생프로젝트를 위해 스케이트 보드대를 디자인한다.[17] 매튜 바니는 이를 〈구속의 드로잉〉 시리즈 19번으로 명명하였다.(도판-17) 그는 보드대의 바닥에 낙서를 그려 넣었고, 그 위에 사람들이 스케이트보드를 타게 하였다. 미술작가이자 스케이트보드 전문 선수인 랜스 마운틴(Lance Mountain)이 매튜 바니가 설계한 보드대를 타는 첫 번째 사람이 된다. 랜스 마운틴이 유연하게 매튜 바니가 설계한 보드대를 휘저어 나가는 장면은 『죽타포즈(Juxtapoz)』 잡지의 2013년 2월호 표지를 장식하고 있다.(도판-17)

쪼그려 앉아 아크로바틱한 자세로 보드대의 경계를 넘어가는 랜스 마운틴의 모습은 이건용의 〈달팽이 걸음〉의 시작 장면과 크게 비교된다.(도판-16,17) 똑같이 쪼그려 앉았지만 이건용은 허무한 긋기와 지우기의 행위를 고되게 반복 실행하고 있다. 매튜 바니가 디자인한 보드대 위에서 랜스 마운틴의 움직임이 여유, 그리고 유연함을 보여준다면, 이건용은 고독과 고행을 보여준다고 말할 수 있다. 랜스 마운틴이 신체의 균형과 속도를 과시한다면, 이건용은 그것의 억제와 한계를 보여주는 것이다. 흥미롭게도 랜스 마운틴의 스케이트보드의 움직임도 매튜 바니가 보드대 위에 그려 넣은 낙서에 흔적을 남기고 있다. 두 작가 모두 앞서 그려진 선을 다시 지우고 있는데, 이건용은 맨발로 그것을 지우고 있고, 랜스 마운틴은 스케이트보드의 빠른 바퀴가 지워 나가고 있다.(도판-18,19)

스케이트보드를 드로잉 도구로 삼고 있는 매튜 바니의 〈구속의 드로잉〉 19번의 경우도 그의 초기 연작과 마찬가지로 도구와 연장의 적극적인 사용은 계속되며, 아울러 그것의 전개도 상대적으로 다소 과시적이며 과장되어 있다. 반면, 넓은 전시장을 무대로 삼아 흰색 분필선을 어깨 폭 크기로 수평으로 왕복하면서 그어나가며 그것을 맨발로 지우고 있다. 매튜 바니가 훈련된 스포츠 운동가의 활력과 자신감을 구성했다면, 이건용은 고독한 수행자의 고행과 닮아 있다고 봐야 할 것이다.(도판-18)

18
『이건용』 윤 갤러리(Yoon Gallery),
1985.10.23-29.

19
위의 글.

20
李禹煥, 「만남의 現象學 序說-새로운 藝術論의
준비를 위하여」 『AG 협회지』 4권, 1971;
『한국현대미술 다시읽기II-6, 70년대 미술운동
자료집』 Vol. I, 2001. 재수록.

21
이건용은 당시 이우환의 글과 아래 언급되는
조셉 코수스 글로부터 크게 영향 받았다는 점을
자신의 글에서 뚜렷하게 밝히고 있다; 이건용,
「문화회고시스템 위에 세워진 자서전적 궤적」
『월간 문학정신』 1990. 8.

22
이우환, 「만남의 現象學 序說-새로운 藝術論의 준
비를 위하여」 『한국현대미술 다시읽기II-
6, 70년대 미술운동 자료집』 Vol. I, 2001,
pp. 289-291.

23
조셉 코수스(장화진 역), 「Art After
Philosophy」 『ST Group 회보』 1973;
『한국현대미술 다시읽기II-6, 70년대 미술운동
자료집』 Vol. I, 2001, pp. 395-408 재수록.
같은 1973년 『ST Group 회보』에는 이우환의
「만남의 현상학 서설」이 함께 실려 있었다.

매튜 바니가 기획하고 랜스 마운틴이 실행하는 〈구속의 드로잉〉 19번도 앞서 발표한
초기의 시리즈 연작처럼 신체에 대한 어떠한 구속도 극복할 수 있다는 신뢰와 자신감을
기본으로 하고 있다.^(도판-19) 반면 이건용의 〈달팽이 걸음〉은 뚜렷한 목적의식 없이
긋기와 지우기를 무한히 반복한다. 웅크린 신체에서 벌어지는 행위는 〈신체 드로잉〉과
마찬가지로 인체에 가해진 사회적 권력의 구속력을 암시하는데, 〈달팽이 걸음〉에서는
그것의 실행과 거부를 긋기와 지우기의 반복을 통해 온몸으로 보다 긴 시간의 축을
이용해 엄숙하게 보여준다고 볼 수도 있다. 결과적으로 거대한 전시장 바닥을 배경으로
길고 크게 휘어진 작가의 궤적은 인간 개인의 삶이 지닌 고독감과 무목적성을
담담하게 현시한다.

3. 신체와 이벤트-'신체 드로잉'의 이론적 배경

1985년 개인전의 서문에서 이건용은 〈신체 드로잉〉을 '그린다'의 문제를 '신체의 표현'
으로 재설정하는 방법이었다고 소개하였다.[18] 화가와 마주하는 전통적인 화면의 위치를
포기함으로써 시각 중심의 그리기 방식을 극복할 수 있다고 본 것인데, 이렇게 해서
눈과 생각에 의해 손이 움직이는 것이 아니라 몸에 의해 유도되면서 '신체가 지각자요,
표현자'가 된다고 주장하였다.

> "전통적인 의미에서 화면과 그리는 사람의 눈과의 조응관계 때문에 행위자의 시선 앞에
> 화면이 놓이게 되며 눈(지각)과 손(행위)가 동시적으로 작용하게 되어있는 것이다.
> 사실상 전 미술사를 통하여 모름지기 손에 의해서 작업이 이루어지는 경우 조형자와
> 조형물과의 관계는 눈으로 보면서 조형행위를 한다는 것이 한 관례이다. 그러나 나는
> 그러한 회화작업상의 인식관계를 포기함으로서 신체가 지각자요 표현자라는 역설적인
> 회화인식 관계를 수립할 수 있었다(저자 강조)."[19]

여기서 이건용은 이성 중심의 서양 근대 철학을 반성하면서 신체 그 자체를 인식과
체험의 출발선으로 보는 현상학이 자기 작품의 철학적 근거가 된다고 주장한 것이다.
신체는 이건용의 주장대로 〈신체 드로잉〉을 가로지르는 핵심개념이라고 할 수 있다.
이건용은 앞서 1970년대 초부터 신체를 자기 작품의 중심축으로 삼았는데, 그 기점을
1971년 경복궁 국립현대미술관에서 열리고 한국미술협회에서 발표한 〈신체항〉으로
잡고 있다. 〈신체항〉은 이건용 자신이 자기 작품세계의 기저라고 주장하는 작품으로,
신체를 외부세계와 내적 자아의 매개로 삼는다는 점에서 그 기본적인 발상은
〈신체 드로잉〉에까지 길게 영향을 끼친다고 본다.

〈신체항〉은 1×1×1.5m의 정육면체의 흙더미 위에 거대한 버드나무의 밑동과
뿌리를 올려놓고 있다.^(도판-20) 당시에 제작된 드로잉을 보면 나무 등치를 잘라서 거꾸로
세우려고 했던 것 같고, 이렇게 제작되었다면 보다 더 역동적이며 낯선 작품이 되었을

도판 Fig - 10
신체 드로잉 76-2, 1976

도판 Fig - 11
매튜 바니, 구속의 드로잉 2, 1988

도판 Fig - 12
신체 드로잉 76-1, 1976

도판 Fig - 13
매튜 바니, 구속의 드로잉 1, 1987

가능성도 있다.(도판-21) 그러나 이건용은 최종적으로는 나무의 원형을 그대로 살리는 방향으로 정리했다. 흙과 나무로 구성된 이 작품은 이 시기 유행하고 있던 대지 미술의 범주 내에서 읽을 수 있는 작품이지만, 작가는 이를 〈신체항〉으로 명명하면서 현상학적 읽기를 요구했다. 즉 이건용은 이 작품이 세상 보기의 출구를 인간의 이성에서 신체 그 자체로 되돌려 놓는 '현상학적 신체보기'의 기점이라고 주장한 것이다. 결국 이건용은 눈과 생각에 의해 따라가듯 구성되는 일상적인 사고체계를 사물과 분리하기 위해서는 보다 강렬한 장면을 연출시키고자 했고, 결과적으로 그는 거대한 나무를 뿌리째 지상으로 들어 올리게 된다.

〈신체항〉이라는 제목을 포함하여 이 작품의 기본적인 의도는 이우환(1936-)이 1969년에 발표한 「만남의 현상학 서설」과 강하게 연결된다.[20] 이우환의 글은 발표된 다음 해 한국에 번역되어 소개되었고, 일찍부터 현대철학에 관심이 많았던 이건용은 미술을 현상학적 논의의 중심으로 끌고 가는 이우환의 글에 크게 매료되었다.[21] 「만남의 현상학 서설」에서 제기된 몇몇 관점은 이건용의 1971년 〈신체항〉뿐만 아니라 '신체'를 매개로 하는 그의 1970년대 활동을 이해하는데 시사하는 바가 적지 않다. 이중 〈신체항〉에 관한 중요한 언급을 소개하면 아래와 같다.

> 존재를 세계로부터 잘라내어 이념화하고 판단하는 방식, 존재를 측정 정립시키고 그러함으로써 결과하는 자기와 세계의 주종적 대립관계는 바야흐로 타파되고 해체되어야 할 것으로 인식되기 시작하고 있다. [...] 「나」는 세계에 대해서 생각하기 이전에 이미 그 속에 끼어있고 행위함과 동시에 직관하는 신체의 항이라는 말이다. 세계는 신체라고 하는 기지로 만들어진, 말하자면 신체의 연장물인 것이다. [...] 인간이 세계를 지각한다는 것은 신체가 세계에 있어서의 공감, 실감, 일체감을 느끼는 세계의 신체항이라는 의미일 것이다. 따라서 신체가 세계를 지각한다는 행위야 말로 바로 서고 보고 느끼는 직관을 통해서라 함도 자명한 일이 될 것이다.[22]

이 같은 이우환의 주장을 수용하여 이건용은 〈신체항〉을 통해 '나'와 '대상'이 만나는 접점으로 신체를 재인식하고 그것을 관계하는 '의식의 장'으로서의 장소를 새롭게 설정하려 했다.(도판-20)

조셉 코수스(Joseph Kosuth)가 1969년에 발표한 「철학 이후의 미술(Art after Philosophy)」(1969)도 당시 이건용의 작품세계에 많은 영향을 끼치게 된다.[23] 일찍부터 비트겐슈타인에게 매료되었던 이건용에게 코수스의 글은 분석철학의 예술적 가능성을 다시금 일깨워준 셈이었다. 코수스의 글도 이건용의 1970년대 활동에 참고할 필요가 있다고 보고 주요 부분을 소개하고자 한다.

24
조셉 코수스, 위의 글, p. 396, 403.

25
이건용은 제8회 파리 비엔날레에 이우환의
추천으로 참가하게 되었다. 이우환은 앞서
제7회 파리 비엔날레에 참가하여 많은 주목을
받았다. 이우환은 추천 당시엔 이건용을 직접
만나지는 못했던 것 같다. 1972년도의
《앙데팡당》전에 출품했던 이건용의 작품을
보고 그를 추천했던 것으로 보인다. 이건용은
본 저자와의 인터뷰에서 1975년 현대화랑에서
이우환을 우연한 기회로 처음 만날 수 있었다고
말했다.

26
『한국일보』 1977. 4. 12.

27
이건용, 「韓國의 立體·行爲美術 그 資料的
報告書-60년대 '해프닝'에서 70년대
'이벤트'까지」 『공간』 1980. 6, p. 18.

28
위의 글, p. 19.

29
박용숙, 「이건용의 이벤트 Mr. Lee's Event」
『공간』 1975. 10·11, p. 80.

30
이 좌담회는 1975년도 『공간』의 10·11월호에
특집으로 다뤄져 있다.

31
위의 글, p. 78.

32
위의 글.

33
이건용의 「1979년 작업노트」

전통 철학은 한마디로 말해서 '말될 수 없는 것(The unsaid)'에 관계가 있다.
20c 언어분석 철학자들이 논쟁을 해왔던 말될 수 있는 것에 대한 유일한 초점은
The unsaid는 the unsaid라는 것이다. [...] 미술작품은 하나의 분석적 명제이다.
그러한 관계에서 볼 때 미술작품은 어떤 사실문제에 대한 어떠한 지시도 규정도 할 수가
없다. 미술작품은 동어 반복적인 것으로 볼 수 있는데 그것은 작가적 의도의 한 표현이며
작가는 특이한 미술작품은 미술이라고 보며 미술에 대한 하나의 한정을 내린다고 볼 수
있다. 그처럼 미술은 순수한 a priori한 것이며, 그 개념을 Judd가 언급한 바와 같이
"누가 그것이 미술이라고 한다면 그것은 미술이다." [24]

이론적 신념하에 세워진 이건용의 〈신체항〉은 사물에서 언어를 떼어내어 새로운
사유의 가능성도 열고자 했다. 실제로 〈신체항〉은 관객의 참여를 필수적으로
요구하는데, 이 점은 그가 후에 다시 제작한 드로잉에 명확하게 나타난다. (도판-22, 1989)
여기서 이건용은 더 거대하고 역설적인 구조물을 구상하고 있다. 나무의 크기는 3.5m로
더 커졌고, 하단의 정방형 흙더미도 2m로 확장되어 있다. 나무 몸통에서 길이 방향으로
길게 홈을 파서 떠낸 덩어리는 허공에 매달려 있어 상황은 더 생경하다. 무엇보다도
화면의 우측 하단에는 관람객 1명이 서서 이 광경을 조용히 바라보고 있다. 이건용은
이 관람객을 자신의 어머니로 상정했다고 말한 바 있다.

한편 이건용은 1973년 제8회 파리 비엔날레에 참여하면서, 〈신체항〉을 세계무대에
선보인다. [25] 현지 언론과 미술관계자들의 우호적인 평가에 힘입어 이건용은 그간
자신이 시도했던 작업을 한발 더 끌고 나갈 수 있는 힘을 얻게 된다.
이건용은 1975년부터 1979년까지 최소 50여개의 행위미술을 선보인다.
이건용은 1977년도 신문과의 인터뷰에서 이 시기의 행위미술의 아이디어가
파리 비엔날레의 경험에서 기인했다고 말했다.

예술의 경쟁장인 파리에서 우리와 의식구조가 다른 그 사람들의 작품을 보고
한국 사람이 할 수 있는 예술이 있고, 작가 자신도 하나의 매체가 될 수 있다고 느꼈다는
것이다. 이런 의미에서 이벤트는 동양의 선 사상과 분석 철학이 교묘하게 결합한
순 한국적인 것이라고 주장한다. [26]

이건용은 자신의 행위미술을 '이벤트(event)' 또는 '사건'이라고 이름 지으면서,
1960년대 후반에 유행하였던 '해프닝(happening)'과 구별 지으려 했다. 그는 기존의
해프닝이 '우발적이고, 충동적인, 테러적'이었던 것이었다고 비판하면서, 자신의
이벤트는 '행위가 시작, 진행, 그리고 끝맺음 등, 행위가 행위로써 자족적인 의미'를
갖추고 있다고 주장하면서, 이를 '후기 행위미술'이라고 부를 수 있다고 주장하였다. [27]
계속해서 이건용은 이벤트는 보다 심오한 의미를 구체적으로 전달하기 위해

도판 Fig - 14
신체 드로잉 76-4, 1976

도판 Fig - 15
매튜 바니, 구속의 드로잉 6, 1989

도판 Fig - 16
달팽이 걸음, 1980

도판 Fig - 17
매튜 바니, 구속의 드로잉 19, 2013

기획되었다고 주장한다. 1975년 4월 19일 백록화랑에서 벌어졌던 최초의 이벤트 작업 〈실내측정〉과 〈동일면적〉을 이건용은 훗날 다음과 같이 평가하였다.

이 두 개의 사건은 그 행위 자체가 매우 조용한 것이지만 지극히 논리적인 사건임에는 틀림없다. 이는 사건의 본질을 이미 갈파(喝破)한 논리로 계산된 행위에 의해서, 장소와 오브제, 그리고 인간의 행위가 자연스럽게 관계한 것이다. [28]

이건용은 자신의 이벤트를 '이벤트-로지컬' 또는 '로지컬-이벤트'라고 부르기도 한다. 이건용은 여기서 말하는 논리는 "논리를 거부하기 위한 논리가 아니라, 논리성을 전달하기 위한 논리"라고 주장하였다.[29] 작가의 의도대로 철저히 기획되어서 행해지는 '이벤트'가 현대 행위미술과 본래적 취지에 부합하는지에 대해서는 발표 당시부터 그가 속해있던 ST 그룹 내에 논쟁거리가 되었다. 급기야 그해 10월 6일 현대미술관 소전시실에서 그의 이벤트의 의미를 묻는 특별 좌담회까지 열리게 된다.[30]

1975년 ST 좌담회를 주관한 박용숙은 탈관념을 현대미술의 과제로 보고 이건용의 '로지컬-이벤트(Logical-Event)'는 그것의 논리구조를 드러낸다고 평가하였다. 박용숙은 '현대의 논리학은 자기와 자기와의 관계를 묻는 이른바 자기 동일성의 논리' 라고 말하면서, 이는 곧바로 '무 목적성을 증명해 보이기 위한 논리'라고 보았다.[31] 계속해서 박용숙은 무 목적성은 탈이데올로기의 한 양상이라고 주장하면서, 이건용의 긋기가 목적이 없는 행위나 목적에서 해방되어 있다고 평가하였다.

화판에다 긋는 행위도 일종의 목적의 행위가 아니겠냐고 묻는 이도 있다. 화가가 이미지를 그리지 않고 단순히 선을 긋는다고 하더라도 그것은 어디까지나 화가의 행위이므로 일반인들은 그것까지도 그리는 행위로 생각할 수 있다는 것이다. 그러나 분명한 것은 긋는다는 행위는 그린다는 행위 이전의 것이며, 그렇게 긋는다는 행위가 시작이면서 끝이라면 그것은 분명 아무것도 그리지 않는 행위인 것이다.[32]

여기서 박용숙은 박서보의 〈묘법〉을 그 예로 들었지만, 이 같은 주장은 이듬해 이건용이 벌이는 신체적 이벤트 드로잉에 더 적합한 평가라고 본다. 당시 이건용 스스로도 〈신체 드로잉〉을 자신의 이벤트 작업의 일부로 보았다. 그는 1979년도 50개의 자신의 이벤트를 정리하면서 〈신체 드로잉〉 연작을 43번부터 48번의 이벤트로 기록하였다.[33] 여기서 작가는 이 연작을 몸을 드러낸다는 의미로 '현신(現身)'이라고 부르기도 한다.

4. 두 개의 비엔날레와 한 개의 국제전
1973년 파리 비엔날레와 1979년의 상파울루 비엔날레는 1970년대 이건용이 벌였던 도전에 대한 긍정적인 반향이었다고 볼 수 있다. 특히 1979년 초에 받은 리스본 국제

34
김복영, 「리스본 국제 드로잉전에서 수상」,
『공간』, 1979. 10, pp. 93-4.

35
이건용, 앞의 논문, 1980, p. 19. 이건용이
1989년에 그린 물고문 장면은 앞서 그가 겪었던
고문에 대한 환기일 수 있다.

36
해프닝이 갑작스럽게 사라진 이유로 그것의
실험성이 입체 미술로 옮겨졌기 때문으로
보기도 하지만, 당시 사법당국의 처벌에 의해
위축되었다고 보는 시각도 있다. 1970년
8월 15일에 벌어졌던 해프닝 과정에서
작가들은 경찰에 연행되어 즉결심판을 받게 된다.
김구림, 정찬승, 정강자 등이 결성한 [제4집단]의
작가들은 기존의 문화예술계와 기존 체제를
비판하는 〈기성문화 예술의 장례식〉이라는
제목의 해프닝을 기획하여, 관을 둘러메고
서울 광화문 사거리를 지나다 경찰에 연행당하게
되고 집단은 해체되었다는 것이다. 이건용은
'당시의 정치적 체제가 이들의 이상을 용납할 수
없었기 때문'이라고 보았다; 이건용, 「한국행위
미술의 전개와 그 주변-1967~1989,
23년간의 궤적」『미술세계』, 1989. 9, p. 50.

37
이건용이 쓴 자신의 유년시절에 대한 회고의
글은 다음 글 참고; 이건용, 「문화회고시스템
위에 세워진 자서전적 궤적」
『월간 문학정신』, 1990. 8.

미술제(LIS, Lisbon International Show)에서 대상 수상은 그가 벌였던 지속적인 시도에 대한 국제 미술계의 보답이었다.[34] 이건용은 포르투갈 리스본 시립미술관에서 열린 국제미술제에 지명 공모되어 〈신체 드로잉〉 1번, 2번, 그리고 4번 등을 출품하여 대상을 받았다. 1973년의 파리 비엔날레를 기억하는 당시 주최 측은 그를 지명 공모하였고, 내친김에 이건용은 대상까지 받게 된 것이다. 그의 수상은 국내 미술계에도 화제가 되었지만, 이건용은 결국 시상대에 직접 서지는 못했다. 정부가 그의 출국을 허락하지 않았기 때문이다.

이건용은 필자와의 인터뷰에서 1975년 5월부터 정부로부터 지속해서 감시받고 있었다고 실토했다. 심지어 1975년 《AG》전시의 이벤트를 벌인 직후 정부 당국으로부터 연행되어 고문까지 받았다고 증언하였다. 그는 자신에 대한 갑작스러운 고문과 이후의 감시가 이 때 이두식과 함께 벌인 '이리 오너라'와 '내가 보이느냐'가 사법당국으로부터 불순하게 받아졌던 때문으로 짐작하고 있다. 이 두 개의 이벤트 후 곧바로 그는 정보부 일원으로 보이는 요원들에게 연행당했다고 한다. 불법구금 후에 이어진 폭행은 하루 한나절로 끝났지만, 그는 이후부터 계속해서 형사들에게 감시당했다고 술회하였다. 뿐만 아니라 그는 퍼포먼스를 불법화하는 공문을 정부로부터 받게 되는데, 그는 1975년 후반에 국립현대미술관으로부터 '해프닝과 이벤트는 사이비 전위미술이므로 앞으로는 국립현대미술관에서 행할 수 없다'는 요지의 공문을 받았다고 한다.[35]

1960년대 말부터 붙은 해프닝을 매개로 한 실험미술의 열풍이 1970년 일련의 해프닝 작가들이 연행되면서 된서리를 맞게 된 것처럼, 1975년에 시도된 후기실험미술도 정부의 탄압으로 위축될 위기에 빠진 것이다.[36] 이후 이건용은 대전으로 그리고 군산으로 삶의 터전을 옮기게 되는데 서울을 벗어나게 되면 정부의 감시가 좀 약해질 것 같다고 생각했기 때문이라고 한다.

물론 1975년 이후에도 '이벤트' 작업을 통한 이건용의 실험은 계속되었다. 1976년도 《ST》전시에서 본격적으로 선보인 〈신체 드로잉〉에서도 파격성과 도발성은 여전하였다고 본다. 특히 오프닝 당일 그가 현장에서 보여준 신체 드로잉이 가장 행동적인 작업이라고 할 수 있는 5번이었다. 〈신체 드로잉〉 5번은 다리 사이로 직선을 거듭 그으며 '곧은 선을 그을거야!'라고 계속해서 외치는 작업이었다. 현장의 관객들은 곧이어 그의 이 같은 외침을 합창하면서 열기가 고조되었다고 한다. 물론 이 현장에도 정보부 형사들은 함께 했다고 기억하였다.

이건용은 1979년 리스본의 국제전의 수상식에는 참석하지 못했지만, 한국미술협회의 보증으로 상파울루 비엔날레에는 참가하게 된다. 오늘날의 상황에서는 이해가

도판 Fig - 18
달팽이 걸음, 1980

도판 Fig - 19
매튜 바니, 구속의 드로잉 19, 2013

도판 Fig - 20
신체항-71

도판 Fig - 21
신체항을 위한 준비드로잉, 종이에 펜, 1971

잘 안 되는 부분이지만 한 세대 전 한국의 작가에게는 이러한 상황은 너무나 일상적이었고 쉽게 넘어서기 어려운 답답한 현실이었다. 1973년 파리 비엔날레에 참석하기 위해 파리 공항에 밤늦은 시간에 도착했을 때 그는 통행금지를 걱정할 만큼 당시 우리 사회는 억압과 통제가 일상화되어 있었다. 그의 일련의 신체를 매개로 한 이벤트의 절박함은 이러한 사회 분위기의 맥락에서 다시 한 번 읽힐 필요가 있다. 작가들의 국제적 교류가 자연스러워진 오늘날의 시점에서 이건용과 그의 세대의 작가들이 겪었던 현실은 그 자체가 역사로 상술되어야 할 것이다.

5. 순수와 사색의 시대-'피로'의 드로잉

이건용의 작품세계를 폭넓게 이해하기 위해서는 그의 삶의 초입을 향해 한걸음 더 나갈 필요가 있다. 특히 유년기 그가 가졌던 생각과 행동은 그의 삶과 예술의 많은 부분을 지배하게 된다. 이건용은 1942년 황해도에서 4남 1녀 중 맏이로 태어났다.[37] 목사였던 부친과 간호사였던 모친의 정성으로 전쟁의 광란 속에서도 비교적 안정적으로 유년기를 보낼 수 있었다고 한다.

이건용의 10대는 정확히 전쟁 직후부터 시작된다. 당시 한국 사회는 궁핍할 대로 궁핍했다. 사람들의 정서도 메말라 눈만 마주쳐도 시비를 걸던 시대였고, 도시 환경은 척박할 대로 척박하여 광화문 사거리를 잠시만 걸어도 온몸은 흙먼지를 뒤집어쓰던 시대였다고 한다. 이건용은 가난하고 지친 삶이었지만 그래도 지금과는 비교할 수도 없이 정신성이 살아 있던 시대였다고 그 시기를 회상한다. 무엇보다도 이건용은 자신이 수학했던 배재중학교와 고등학교에서 받은 철학 교육에 대해 특히 감사해 한다. 배재고등학교는 1학년 때 논리학 수업이 있었고, 이건용은 그 수업을 독일에서 박사학위를 받은 선생님에게 생생하게 배울 수 있었다고 한다. 뿐만 아니라 동네에는 갓과 도포를 입은 노인들이 있었고, 이 유생들에게서 장자나 노자에 대한 이야기를 들을 수도 있었다고 한다. 한편 당시 목사였던 부친은 광성 중고등학교의 교장직을 맡고 있었는데, 지독한 독서가로 집안 가득히 책을 쌓아 놓았다고 한다. 한때 소설가를 꿈꿨던 부친이 집안에 켜켜이 쌓아둔 다양한 책들은 그에게도 좋은 읽을거리가 되었다고 한다. 덕분에 일찍부터 현대서양철학에 매료되면서 이건용은 자신의 방 벽면에 비트겐슈타인의 초상화를 크게 확대해 그려놓기도 했다고 한다. 한편 그가 고등학교 1학년 때 생생하게 목격했던 4.19 민주화운동도 독재 권력의 폭력에 대한 저항에 일찍부터 눈 뜨게 된 계기가 되었다고 한다. 오늘날 입시일변도의 중등교육에서는 상상할 수도 없는 일종의 통합적 교육을 이건용은 10대 시절에 받은 것이다. 이렇게 이건용이 몰락해가는 한국 전통사회의 정신성의 수혜를 미력하나마 받을 수 있었던 세대라는 점은 그의 미술의 근저를 이해하는데 좋은 좌표가 된다고 평가할 수도 있다.

한편 이건용은 자신의 작업을 평생 가로지르는 일종의 허무함의 미학을 역설적으로

38
이건용, 「1963년 일기」

39
위의 글.

40
전체 퍼포먼스에 대한 사진 기록은
*Lee Kun-Yong-Art is Always Pessimistic
But Still Optimistic* (2012, pp. 58-59)에
수록되어 있다.

41
*Subliming Vessel: The Drawing of
Matthew Barney*, Morgan Library
and Museum, 2013. 5. 10.~9. 8.

42
Kitty Scott, "Matthew Barney Live",
Matthew Barney Drawing Restraint,
Serpentine Gallery, 2007, p. 14.

43
이 논문을 준비하는 과정에서 한국예술종합학교
전문사 고용수 학생의 도움이 컸음을 밝힌다.
아울러 이건용 작가의 작업 노트와 스케치북 등의
자료를 열람하는 데 도움을 준 국립현대미술관
미술연구센터의 이지은 아키비스트에게
감사드린다.

모친의 가르침에서 얻었다고 한다. 세브란스 병원에서 간호사로 일했던 모친은 그에게 일찍부터 '쓸모 있는 사람'이 되라고 누누이 강조했다고 한다. 모친은 큰아들이 의사로 성장하기를 바랐는데, 화가를 꿈꿨던 그에게 '쓸모 있는 사람'이 되라는 어머님의 가르침은 받아들이기 힘든 과제였다고 한다. 모친과의 잦은 마찰 속에서 그는 엉뚱하게도 자신은 '쓸모없는 사람'이 될 것이라고 생각했다. 십 대의 반항으로도 볼 수 있지만, 그때 부터 지금까지 이 같은 자신의 생각은 변함이 없다고 한다. 예컨대 이 시기부터 미술에 대한 자신의 정의는 한결같은데, 그의 정의에 따르면 '미술이란 쓸모없는 일을 극한까지 밀고 나가는 것'이라고 한다. '쓸모 있음'의 실체를 확인하려면 결국 '쓸모없음'을 통할 수밖에 없다는 논리구조를 고려해 볼 때, 그의 이 같은 미술에 대한 발언은 예술의 사회적 효용성을 역설적으로 증명한다고 볼 수 있다.

이번 국립현대미술관의 회고전에 맞춰서 공개된 그의 『1963년 일기』는 시와 함께 서양 예술론을 탐구하는 글이 가득한데 그중에는 '피로의 스케치'라는 제목 하의 글이 눈에 띈다.^(도판-23) 글은 "너는 누구냐"로 시작하면서 다음과 같이 이어진다.

> 너는 누구 길래 너를 그다지도 망치고 있느냐.
> 너는 무슨 일을 하고 있으며 무엇을 잡으려고 먼지 이는 뜨거운 벌판을 피곤하게
> 기진맥진해서 걷고 있느냐.
> 너는 무슨 짓을 하고 있는 괴물이냐...[38]

글의 마지막에서 그는 "너는 무엇을 하는 놈이 길래 피곤한 몸을 가누지 못하고 있느냐? 또 대체 네가 해놓은 일이 무엇이냐 네 손에는 주먹을 꼭 쥐고 펴 봐도 너의 손가락 긴뼈와 살점 외에 무엇이 있느냐"고 반문한다. 그는 마지막에 무엇을 그릴 것인가의 문제보다는 어떻게 그릴 것인가에 대한 문제를 고민해야 한다고 강조하면서 글을 끝맺고 있다.

> 무엇을 그렸을까.
> 그렸다. 과연 너는 그렸을까?
> 그린다는 것을 너는 알고 있니. 그린다는 것이 무엇인지.[39]

그리기보다는 그리는 방식을, 생각하기보다는 생각의 구조를, 보기보다는 보는 방식에 대한 문제를 이건용은 일찍부터 제기하였고 그의 이러한 문제의식은 무의미해 보이는 행동의 총체적 집합으로 보이는 〈신체 드로잉〉과 그것을 더 침착하게 실행하는 〈달팽이 걸음〉으로 이어진다고 본다. 이렇게 그의 일련의 드로잉 프로젝트를 읽다 보면, 이건용의 1970년대 드로잉 작업은 사라져가고 있던 한국 전통사회의 정신성을 바탕으로 근대 사회의 굴곡을 향한 해체적 저항의 몸짓으로 읽어야 할지 모르겠다.

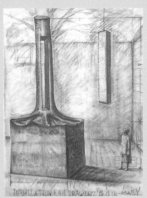

도판 Fig - 22
신체항을 위한 준비드로잉, 종이에 펜, 1989

도판 Fig - 23
1963년 일기

도판 Fig - 24
횟가루와 끈의 이벤트, 대전 남계화랑, 1979

도판 Fig - 25
매튜 바니, 구속의 드로잉 20, 설치작품,
모건 라이브러리 뮤지엄(Morgan Library
and Museum), 뉴욕, 2013

맺음말

1979년도 대전 남계화랑 벽면에 설치된 이건용의 〈신체 드로잉〉 장면과 매튜 바니의 〈구속의 드로잉〉 20번을 비교하면, 이건용의 작품이 가지는 강한 개성과 전위성을 새롭게 느낄 수 있다.[도판·24,25] 오래된 흑백 사진 속에서 맨발의 이건용은 횟가루와 나무와 끈을 이용한 퍼포먼스를 선보이고 있다. 그리고 전시장 벽면의 좌측으로 〈신체 드로잉〉 1번이 전시되어 있고, 우측에는 7번이 보인다.[40]

이건용의 1979년 전시장 모습은 흥미롭게 2013년 매튜 바니의 설치 장면과 오버랩 된다.[41] 매튜 바니는 이 전시에서 전시장에서 목탄 가루를 뿌려 놓은 사각형의 틀 안에서 바벨을 들고 움직였고, 바벨에 묻은 목탄은 그의 움직임을 따라 벽면에 반원의 흔적을 남기고 있다.[도판·25] 이번엔 바벨을 드로잉의 도구로 삼아 매튜 바니는 벽면에 그의 움직임을 각인시켰는데, 바닥 위의 어수선한 발자국과 벽면의 거친 필선은 그의 노고를 확인시켜 준다. 초기의 〈구속의 드로잉〉에서 보이던 활력과 도전감은 이제는 차분히 정리되어 보인다. 그러나 바벨 도구와 목탄과 바셀린 등은 여전히 이건용의 입장에서는 '의식 과잉', '표현 과잉'으로 읽힐 수 있을 것이다. 이건용에게는 목탄과 바셀린보다는 회가루가, 철제 바벨보다는 나무막대기 묶음 같은 소박하고 자연적인 물건이 더 손쉬운 표현 재료로 여겨지고 있다.[도판·24] 이건용의 전시장 한구석에 보이는 〈신체 드로잉〉 7번 반원의 호(弧)는 팔의 연속적 회전으로 그려져 있다. 여기서 보이는 거친 필선은 이건용에게 있어서 팔의 움직임이 매튜 바니가 애써 움직였던 바벨만큼 무겁게 여겨졌다고 말하는 듯하다.

매튜 바니는 현대의 작가 중 독창적인 작가로 평가받고 있다. 2007년 영국 런던의 서펜타인 갤러리에서 열린 전시 서문에서 그는 '가장 혁신적인 작가 중 하나 (one of the most innovative artists of his generation)'로 소개되고 있고, 그의 이미지와 서사적 작품을 '가장 기억할만하며 독창적인 작품'이라고 평하였다.[42]

우리는 지금까지 이건용의 작품을 논할 때 이것이 한국적인지 아닌지를 고민하거나, 그의 일련의 작업을 개념미술로 불러야 할지 말아야 할지를 논의해왔다. 이러한 태도는 그의 작품세계를 이해하는 데 그다지 도움이 되지 않는 접근이었다고 본다. 예를 들어, 우리는 매튜 바니의 작업을 보고 미국성의 구현을 평가기준으로 삼거나, 그의 미술을 특정한 양식으로 규정하여 평가하지는 않을 것이다. 마찬가지로 이건용의 작업을 서구의 미술개념을 기준으로 범주화시키거나, 세대적 과제를 과하게 요구할 필요도 없을 것이다. 우리는 이건용이 추구한 전위성과 독창성을 있는 그대로 평가하고, 바로 그것으로 그의 미술이 차지하는 미술사적 위치를 냉철하게 자리매김해야 할 것이다. 이번 전시가 그에 대한 정당한 평가의 계기가 되길 바란다.[43]

Drawings of "Fatigue"
Lee Kun-Yong's Body Drawing

Yang Jeongmu
Art History, Korea National University of Arts

01
Yang Jeongmu, "Conceptual Topography
of Art History of Drawing," *Korean
Avant-Garde Drawing: 1970-2000*
(Seoul: Seoul Olympic Museum of Art,
2010), 14-15.

Prologue

According to Lee Kun-Yong, a painting is not merely an object to be passively
appreciated, but a mechanism for exploring the limits of human activities.
Lee's unconventional ideas about painting are best exemplified by his
Body Drawing series, which began in 1976. For the first work in this series,
Lee stood behind a large plywood veneer that was about 1.7 meters tall, matching
his own height. Blindly reaching around to the front of the veneer, he drew many
lines, and then used a saw to make repeated cuts to the drawn area. Because of his
position behind the veneer, he could initially only reach the outside edges of the
front side. But as he continued cutting, the veneer became smaller, allowing his
drawn lines to cover more of the screen.[Fig.1] Lee's personal work notes from 1976
document that the screen was to be divided into five sections from top to bottom,
with the size of each section precisely calculated down to a decimal point.[Fig.2]
Finally, he ended up with five separate sections, which he then put back together
from bottom to top to form the completed work.[Fig.3]

Starting with the *ST exhibition* in 1976, Lee Kun-Yong created an extensive series
of drawings and drawing events to methodically reveal the limitations of the human
body. The grand finale of the series was *Snail's Gallop*, which Lee performed at
the 1979 Bienal de São Paulo. This article explores the art of Lee Kun-Yong,
focusing primarily on the nine works of the *Body Drawing* series and *Snail's Gallop*;
these works were produced from 1976 to 1979, when Lee was 33 to 36 years old.
The *Body Drawing* series is particularly important in that it integrates the ideas and
techniques of his early experimental stage, and thus foreshadows his later works.

While the *Body Drawing* series is often mentioned in discussions of Lee's
artwork, it has not yet been the primary focus of a research article. Furthermore,
there have not been any strong attempts to evaluate the series within the context of
contemporary art history. In 2010, while organizing *Korean Avant-Garde Drawing:
1970-2000*,[01] I attempted to reevaluate the significance of *Body Drawing*.
In the catalogue for that exhibition, I wrote that the *Body Drawing* series pushed
the physicality of art to an extreme, and even brought it to a termination.
I also stated that Lee had replaced the conventional act of painting with purely
physical repetition, thus subverting the traditional concept of drawing based on
visual observation. Although I believe this argument remains valid, it needs to be
deepened and expanded. On the occasion of the major retrospective at the
National Museum of Modern and Contemporary Art, Korea, and in light of
newly available resources, including Lee's personal work notes and sketchbook,
the remarkable artwork of Lee Kun-Yong deserves a more in-depth analysis.

02

Lee Kun-Yong also referred to"
Body Drawing" as "The Method of
Drawing" and "This Life."
For convenience, in this article,
the series will only be referred
to as "Body Drawing."

I. Narrativity of Body Drawing

The *Body Drawing* series was first presented in November 1976 at the fifth
ST exhibition at the Publishing Association Exhibition Hall in Seoul.
For this exhibition, Lee created the first seven works of the series at a colleague's
studio in Nokbeon-dong, in the western part of Seoul. He exhibited the photos
documenting his production process, as well as the finished works on plywood
veneer. Also, on the opening day of the exhibition, he publicly performed the
drawing of *Drawing Lines between Legs*, the fifth work in the series.

For the *Body Drawing* series, Lee finds different ways of restricting his body's
movement, and then performs the drawing under those restrictions. As discussed,
for the first work in the series, he blindly reached around and drew on a large
plywood veneer. For the second work, he stood facing away from the board and
drew blindly behind his back.[Fig.4] For the third work, he stood to the side of the
board and blindly drew on it by moving his arm up and down.[Fig.5] For the fourth
work, he maximized the restraint on his body by putting his right elbow, and wrist
in a splint, and then drawing with the constricted arm. As the drawing progressed,
he gradually removed the splint, starting at the wrist.[Fig.6]
The first seven works in the series were made under seven different restrictions, and
he eventually added two more works to complete the *Body Drawing* series.[02]
For each work, every step of the process was documented with photographs, which were
exhibited along with the veneer (or pieces of veneer) featuring the completed drawing.

For *Body Drawing*, Lee used his body as the axis and extended his arms in different
directions. As such, the series is often compared to Surrealist automatism, but there
are some notable distinctions between the two. Automatism uses random hand
movements, free of rational control, in an attempt to tap into the subconscious.
Body Drawing, on the other hand, is not random at all, but is rather the result of
highly calculated planning and analysis. As confirmed in his notes, Lee methodically
planned his drawings and purposefully executed them from all possible angles.
In addition, unlike automatism, Lee's drawings consist of a repetition of the same
movement. The resulting works are also stylistically distinct from either Abstract
Expressionism or Art Informel.

Lee's drawing lines ultimately represent evidence of the fundamental act of
drawing. In particular, he is most interested in examining the tension between the
logic of body and the logic of line, as epitomized in the fifth work of the series.
With the plywood veneer lying flat on the floor, Lee stood over it with his legs apart

and attempted to draw a series of straight lines. Notably, however, from his position standing over the board, it is virtually impossible to draw a perfectly straight line. When he performed this drawing at the opening of the *ST exhibition* in 1976, Lee repeatedly announced, "I will draw a straight line" before each new line that he drew.[Fig. 7] Hence, his performance highlights the physical and human limitations inherent in the act of drawing.

All of Lee's works from the 1970s, starting with *Corporal Term* (1971), are characterized by his provocative and iconoclastic approach to investigating the fundamental meaning of drawing. This is particularly true of *Body Drawing*, for which he tried various ways of re-establishing the interface between the painter and canvas in order to subvert the conventional relationship between the two. Thus, he stood behind, over, or next to the canvas, or turned his back on it. Because of his stance, he could only reach the canvas in one or possibly two directions, so he was forced to continuously repeat his movements. For the fourth work in the series, he introduced a physical handicap by placing his right arm in a tight splint, thereby making it very painful to move and draw. By distorting the circumstances of the setting, Lee transformed the simple act of drawing into strenuous labor, and the resulting strain can be seen and felt in the rough, arduous strokes. The strokes are especially interesting when compared to the relatively smooth strokes of Korean Monochrome painting, a movement that reached its full development around 1975.[Figs.8 and 9] In Korean Monochrome, the strokes are an extension of traditional drawing and painting, so they are typically very free, flowing, and flexible. For Lee, on the other hand, the actual performance of drawing overwhelms the physical work, and the strokes are very rough and provocative.[03]

In the *Body Drawing* series, Lee completely avoided the normalcy, playfulness, and romanticism that can be associated with the act of drawing, transforming drawing into an object of deep philosophical contemplation. This solemnity can be attributed in part to Lee's own personal taste, but from a broader standpoint, his desperation may also be seen as a reflection of the rather dismal political circumstances of the time. The military dictatorship that controlled Korea in the 1970s considered Lee to be a "degenerate artist," and he was suspected of committing seditious acts and causing social unrest. Thus, he was subjected to torture, oppression, and surveillance, which will be discussed in more detail below.

The artistic and even historical significance of *Body Drawing* can be further explicated through a comparison with the drawings of Matthew Barney (b. 1967),

04
David Joselit,"Matthew Barney-
San Francisco Museum of Modern Art,"
Artforum September 2006.

which share some notable similarities with Lee's work. Starting in 1987, while still in college, Barney began producing drawings that involved artificially limiting his body movement. To date, Barney has produced twenty series of drawings that have been presented under the title *Drawing Restraint*.

The early works from *Drawing Restraint*, especially the first through the sixth series, are particularly interesting in comparison to Lee's *Body Drawing*.[Figs.10 and 11] Both Lee and Barney imposed limitations on their body movement, evincing a self-referential process that highlights the physical action of drawing. The two series are also similar in the artists' method of numbering the works, and the fact that the artists were able to develop their artistic intention through the format of the series.

There are some clear similarities between the first two works of Lee's *Body Drawing* and the works from *Drawing Restraint 1* and *2* by Barney, in that both artists situated the drawing surface in an unusual place and then drew on it while their bodies were somehow restricted.[Figs.12 and 13] Barney followed one of the core strategies of physical fitness, by striving to encourage growth and development through resistance and physical restraint. Transforming his studio into a space more like a gym or an indoor rock climbing facility, he severely restricted different parts of his body with rubber resistance bands, and then made drawings by jumping or hanging onto paper that was glued to the wall or ceiling. For *Drawing Restraint 1*, for example, Barney bound his thighs together with a rubber band, then climbed the wall (using a board as a ramp) and drew on a paper pad glued high on the wall near the ceiling. He also videotaped the entire process.

While Barney arduously scaled the wall to make a drawing with a pencil tied to a wooden stick, Lee Kun-Yong stood behind a plywood veneer and reached around it to create the first work in his *Body Drawing* series. Both artists substantially restricted their body in order to tangibly evoke the physicality of drawing. The same theme is present in the second installment of both series: Lee painted behind his back, stretching out his arm, while Barney tied a bungee cord around his waist, leashed himself to the center of the room, and then stretched out to draw on the wall.[Figs.10 and 11] The set-up for both series is quite similar, and both artists documented their efforts with photographs or video.

Matthew Barney's drawings are thought to explore the limitations and possibilities of the human body by expanding the concept of drawing and capturing the physical desire to draw and create art.[04] In the works of *Drawing Restraint*, Barney attempts to chart the limitations of the body through drawing, but notably, he goes beyond mere masochism by demonstrating how those limitations can be conquered. This spirit of challenge and triumph marks a major departure from the works of Lee Kun-Yong. Using various tools, Barney adeptly regulates the movements of the body and then diligently resolves the given task.[(Figs.11 and 13)] Thus, Barney postulates the trainable body and then displays the physicality of drawing in a relatively exaggerated yet optimistic way. Lee, on the other hand, adopts a somewhat cooler stance, using minimal tools to inquire into the meaning of the body in terms of drawing and painting.[(Figs.8 and 10)]

The Barney comparison also highlights the seriousness and philosophical weight of Lee's works. For instance, in *Drawing Restraint 6*, Barney drew while bouncing up and down on a trampoline,[(Fig.15)] thus creating works that dynamically capture a sense of vigor and speed. In contrast, for the fourth installment of *Body Drawing*, Lee severely restricted his right arm and then gradually freed himself by removing the splint in stages.[(Fig.14)] By limiting his arm movement, Lee demonstrates that the physical component of controlling the act of drawing is just as important as the visual and mental components. Furthermore, as Lee himself stated, the works suggest the individual's struggle to attain and assert social power.

It would be fascinating to see an exhibition directly comparing works from *Drawing Restraint* and *Body Drawing*, to see how artists from both sides of the globe address issues related to the physicality of drawing. When I interviewed Lee Kun-Yong, he stated that Western art is the art of over-consciousness and over-expression. Indeed, Barney's *Drawing Restraint* series has a highly theatrical quality, with the artist audaciously restraining his body with rubber bands or bouncing on a trampoline in an environment that is more like a fitness center than an artist's studio. On the other hand, Lee Kun-Yong sought to re-establish the relationship between the artist and the drawing surface, thus succinctly questioning the role of the body in making a drawing. While Barney dynamically leaps across the space and exerts himself like an athlete, Lee is more contemplative and resigned in carrying out whatever restrictive task he has set up. The pertinacious and resolute qualities of Lee's *Body Drawing*, akin to monks practicing a vow of silence, were further highlighted in *Snail's Gallop*.

II. Reading Snail's Gallop

At the 15th Bienal de São Paulo (October 3 - December 16, 1979), Lee Kun-Yong presented *Body Drawing*, along with a new performance entitled *Snail's Gallop*.

For this performance on the opening day of the event, the barefoot Lee entered a large exhibition space, holding some white chalk. He began by squatting in one corner of the exhibition space and then drawing a white line on the ground in front of him, about the width of his body. Still squatting, he shuffled forward over the line and then drew another line on the ground. He methodically repeated this movement— drawing a line, shuffling across it, drawing a line, etc.—over and over until he had traversed all the way to the opposite wall of the large exhibition space (about 496 m²), leaving a long trail of horizontal lines across the floor of the space.[Fig.16] Moving at a snail's pace (hence the title), Lee took about thirty minutes to reach the opposite side of the room, at which point he quietly stood up again, bringing the performance to a close. The final "drawing" consisted of the long band of horizontal chalk lines. Interestingly, the work retained the physical traces of the artist, because many of the lines were scuffed or erased by the shuffling movements of Lee's bare feet.

Even though Lee used the floor as his canvas, rather than a board or canvas, *Snail's Gallop* is quite similar to *Body Drawing*, as both involve repeatedly drawing lines while the body is somehow restrained. In fact, when Lee performed *Snail's Gallop* in June 1979 at Namgye Gallery in Daejeon, Korea, he arranged it after the existing works of *Body Drawing*, and labeled it as "B.D. (Body Drawing)" in his work notes dated June 14, 1979.

Continuing the Matthew Barney comparison, Lee's intention becomes clearer. For *Drawing Restraint 19* in 2012, Barney designed a unique skateboard to be used at Ride It Sculpture Park in Detroit, as part of a project to restore urban areas through art.[Fig.17] Barney's skateboard had a large piece of graphite attached to the bottom, allowing the rider to "draw" on whatever surface he or she was riding across by pressing down on the nose of the skateboard. Barney donated the skateboard with the understanding that a professional rider would be invited to use it in the Detroit skate park, and that person turned out to be Lance Mountain, a renowned skateboarder and artist. Recalling Lee Kun-Yong's performance of *Snail's Gallop*, Mountain squatted on his skateboard and rode along the edge of the halfpipe, occasionally marking his path with dark lines from the graphite.[Figs.16 and 17] Although their squatting posture may have been similar, Lee and Mountain's movements were quite distinct. While Mountain flowed across the halfpipe, demonstrating tremendous athleticism and flexibility, Lee arduously shuffled across the space, repeating the futile acts of drawing and erasing, demonstrating solitude and asceticism. Whereas Mountain boasted the balance and speed of the body, Lee manifested the restriction and limitation of the body. Interestingly though, both

05
Lee Kun-Yong, preface for his
solo exhibition brochure
(Seoul, Yoon Gallery, 1985).

Mountain and Lee simultaneously marked and erased their traces; while Lee erased his marks with his bare feet, Lance Mountain did it through the rapid movements of the wheels on the skateboard.[Figs.18 and 19]

Continuing in the tradition of the *Drawing Restraint* series, the nineteenth installment of Barney's series emphasizes the use of a tool or device (in this case, a skateboard) for drawing, and executes the drawing in a rather ostentatious way. On the other hand, given a large exhibition space in which to perform, Lee chose to repeat the very subtle, even banal movement of drawing white chalk lines and then erasing them with his bare feet. While Barney composed his piece to utilize the vitality and confidence of a highly trained athlete, Lee Kun-Yong's performance is more reminiscent of the solitude of a lone hermit.[Fig.18]

Like the previous installments in the series, *Drawing Restraint 19* demonstrates how restrictions on the body can be overcome through trust, confidence, and ingenuity.[Fig.19] On the other hand, Lee Kun-Yong's *Snail's Gallop* infinitely repeats the actions of drawing and erasing without a clear sense of purpose. Like *Body Drawing*, the acts performed by Lee's crouched body in *Snail's Gallop* imply the restraints that social power places upon the human body. Lee's piece solemnly conveys the suppressive elements of power, but also conveys the individual's rejection of such suppression by emphasizing the use of the artist's entire body over a prolonged stretch of time. Awkwardly crouching and shuffling his way across the large floor of the exhibition space, Lee stoically embodies the loneliness and futility of the life of an individual.

III. Body and Event : The Theoretical Background of Body Drawing

In the preface of the catalogue for his 1985 solo exhibition at Yoon Gallery, Lee Kun-Yong wrote that *Body Drawing* was nothing but a way to re-establish the issue of "drawing" or "painting" as a "physical expression."[05] By abandoning the traditional position of a painter standing in front of a canvas, he believed that he could overcome the vision-centered tradition of painting. He argued that the primary force moving an artist's hand is not the eyes or brain, but the body. As such, the body becomes both the perceiver and the expresser:

> Traditionally, due to the correspondence between the painter's eyes and the canvas, the canvas has been placed in front of the artist's eyes, and the eyes (perception) and hands (action) are bound to operate simultaneously. Through the whole of art history, the relationship between the painter and the painting

06
Lee, ibid.

07
Lee Ufan, "A Phenomenological
Introduction to Encounter,"
*Re-read Korean Contemporary
Art II-6: Sourcebook of 1970s Art
Movements* Vol. 1 (Seoul: ICAS, 2001.)

has primarily been considered in terms of the painter conducting creative activities wherein the eyes coordinate the movement of the hands. I've tried to move beyond this purely perceptive relationship to establish a somewhat paradoxical condition wherein the painter's body acts as the agent of both perception and expression.[06]

Contemplating the emphasis on reason that marks modern Western philosophy, Lee stressed that the philosophical basis of his art is phenomenology, which views the physical body as the beginning of perception and experience. Indeed, since the early 1970s, Lee has utilized the body as the core axis of his work, beginning with *Corporal Term* (1971), which he first presented at the *exhibition of Korean Artists Association* held at the National Museum of Modern and Contemporary Art, Korea, which was then located in Gyeongbokgung Palace. Lee himself has cited *Corporal Term* as the foundation for all of his artwork. *Corporal Term* views the body as a mediator between the external world and the internal self, a basic idea that permeates all of the installments in the *Body Drawing* series.

Corporal Term consists of a large cube (1 × 1 × 1.5 m) made from dirt, with the roots and lower part of a huge willow tree extending out of the top.[Fig.20] According to Lee's drawings from the time, he initially intended to have the tree placed upside down, with the roots extending upward, which would have yielded a more dynamic and uncanny effect.[Fig.21] However, he eventually decided to keep the ordinary appearance of the tree. Made from real dirt and an actual tree, this work can be categorized as Land Art, a popular trend of the time. Nonetheless, based on the title of the piece, Lee clearly intended for it to be read within the context of phenomenology. He stated that *Corporal Term* serves as the starting point for a "phenomenological way of seeing the body," which takes the window for seeing the world away from reason and returns it to the body. The cognitive system is generally thought to consist of the eyes and the mind, but Lee wanted to separate that system from objects and materials. Thus, to compose a more striking image, he lifted and exposed the root system of a huge tree.

The fundamental philosophy behind *Corporal Term* is strongly linked to "A Phenomenological Introduction to Encounter" by Lee Ufan (b. 1936).[07] Originally published in Japanese in 1968, the article was translated to Korean and published in Korea in 1969. From early on, Lee Kun-Yong was keenly interested in contemporary philosophy, and he became fascinated with Lee Ufan's writing, which addressed how art could serve as the center of phenomenological discussions.

08
Ibid., 289-291.

09
Joseph Kosuth, "Art after Philosophy",
in *Art After Philosophy and After:
Collected Writings, 1966-1990*
(Cambridge, Messachusetts, London,
England: The MIT Press, 1991), 13, 20.
This writing was first published in
Studio International (London) 178, no.
195, October 1969, 134-137; no. 196,
November 1969, 160-161; no. 197,
December 1969, 212-213.

Some of the points raised in "A Phenomenological Introduction to Encounter" are illuminating with regards not only to *Corporal Term*, but also to all of Lee Kun-Yong's activities in the 1970s, focusing on the body as a mediator:

> Some primary concepts of perception—excising existence from the world in order to judge and create ideology, and the oppositional master-servant relationship between the individual and the world, created by measuring and establishing existence—have begun to break down and dissolve [...]
> The world is built upon the foundation of the body, which means that the world is an extension of the body [...] An individual's perception of the world might be seen as the "body terms" of the world, wherein the body physically senses the world, feels empathy for the world, and achieves unity with the world.[08]

In response to Lee Ufan's ideas, Lee Kun-Yong created *Corporal Term* to openly recognize the body as the point of contact between the individual and the object, as well as to newly establish space as the "site of consciousness" where this contact is mediated.[Fig.20]

Another contemporaneous publication that influenced Lee Kun-Yong was "Art after Philosophy" (1969) by Joseph Kosuth. Building upon the ideas of Ludwig Wittgenstein, who Lee was also fascinated with, Kosuth awakened the artistic possibilities of analytic philosophy:

> Traditional Philosophy, almost by definition, has concerned itself with the *unsaid*. The nearly exclusive focus on the *said* by twentieth-century analytical linguistic philosophers is the shared contention that the u*nsaid* is *unsaid* because it is *unsayable*. [...] Works of art are analytic propositions. That is, if viewed within their context–as art–they provide no information what-so-ever about any matter of fact. A work of art is a tautology in that it is a presentation of the artist's intention, that is, he is saying that a particular work of art *is* art, which means, is a *definition* of art. Thus, that it is art is true a *priori* (which is what Judd means when he states that "if someone calls it art, it's art").[09]

Embodying these theoretical beliefs, *Corporal Term* sought to inspire a new way of thinking by separating language from objects and things. In fact, *Corporal Term* relied on audience participation, which becomes clear in a drawing that Lee reproduced in 1989.[Fig.22] In that drawing, the tree has grown to 3.5 m in height, and the cube of dirt has been expanded to 8 m^3 (2 m per side).

10
Hankook Ilbo April 12, 1977.

11
Lee Kun-Yong, "A Report about the Objecthood and the Gestral Art in Korean Contemporary Art," *Space* June 1980: 18.

12
Ibid., 19.

13
Bak Yongsuk, "*Mr. Lee's Event,*" *Space* October-November 1975: 80.

As an additional feature, a portion of the wood has been vertically removed from the trunk of the tree and hung from the ceiling. Most importantly, in the lower right corner of the drawing, a single viewer stands and observes, bringing a necessary sense of perspective to the work. Lee Kun-Yong once said that he imagined this viewer to be his mother.

Lee presented *Corporal Term* to an international audience at the 8th Biennale de Paris in 1973. Encouraged by the favorable reviews he received from the local press and art professionals, Lee was inspired to push forward with more projects in the spirit of his earlier works, and from 1975 through 1979, he presented at least fifty performance pieces. In an article published in Korea in 1977, Lee explained that his performance art had emerged from his experience at the Biennale de Paris:

> In Paris, the site of intense competition in the arts, Lee Kun-Yong saw works by artists whose cognitive structure differed from that of Koreans. According to Lee, this experience brought about the realization that there must be art that only Koreans could create, and that the artist himself could be a medium for art. In this sense, Lee argues that his "events" are purely Korean, in that they adroitly combine Eastern Zen philosophy and Western analytical philosophy.[10]

Lee specifically called his performance art pieces "events" in a conscious attempt to differentiate them from the "happenings" that were a popular trend of the late 1960s. Citing the fact that "happenings" were accidental, impulsive, and somewhat terroristic, Lee stated that his "events" should be considered "post-performance art," because they elicited the "self-sufficient meaning of performance as performance with a beginning, progress, and end."[11] In addition, he argued that his "events" were tightly planned to enhance their detail and significance. His first two "events" were *Indoor Measurement* and *Same Area*, both performed at Baek-Rok Gallery on April 19, 1975. He later assessed these works as follows:

> These two events were very quiet in terms of their performances, but they were definitely purely logical events. In these events, the place, objects, and human actions naturally interacted with one another in performances that were logically calculated to refute their own essence.[12]

Lee Kun-Yong began referring to these events as "logical events." According to him, the logic being referred to is "logic not to reject logic, but to deliver logicality."[13] Following the 1975 performance of the first two events, some of the artists of the

14
Bak, "Experimental Art: Living the Given
Time to the Fullest," 78.

15
Ibid., 78.

16
Lee Kun-Yong, personal notes from
1979.

17
Kim Bokyoung, "Won the Lisbon
International Show," Space October
1979: 93-94.

ST Group to which Lee belonged gathered to discuss the nature of the events. Specifically, they conferred as to whether the precise performance of the events in accordance with the artist's intention conformed to the principles of contemporary performance art. Expanding upon this discussion, Lee's events became the subject of a special symposium held on October 6, 1975 at the National Museum of Modern and Contemporary Art, Korea. The symposium was covered as a special feature of the October and November issues of *Space* that year.

The symposium was led by Bak Yongsuk, who felt that Lee's "logical events" revealed the logical structure of the post-ideological world that contemporary art was obliged to formulate. Bak said that "contemporary logic is the logic of self-identification, which inquires into the self, and into the relationship that the self has with the self." Thus, according to Bak, contemporary logic served only "to prove its own pointlessness," and that pointlessness was one aspect of post-ideology.[14] Bak claimed that Lee Kun-Yong's drawn lines exemplified that pointlessness, which meant that they were distinct from performance or purpose:

> Some people have asked whether drawing lines on a board could be a type of performance with a purpose. Technically, of course, a painter does not paint an image, but simply draws lines, but that is still clearly the act of a painter, so the average person will consider it to be an act of painting. But the act of drawing lines must inherently come before the act of painting. And if the act of drawing lines is both beginning and end, it is surely the act of painting nothing.[15]

Performing one year later, Lee Kun-Yong asserted that *Body Drawing* was a part of his "event" works. In his notes from 1979, looking back at his fifty events in the previous years, he listed the *Body Drawing* series as events #43 through 48.[16] He also called the series "This Life", showing that the series was intended to reveal the body.

IV. Two Biennales and One International Exhibition

The positive reverberations that Lee received from the challenges he undertook in the 1970s were felt most strongly at Biennale de Paris (1973) and Bienal de São Paulo (1979). The international art field eventually recognized and rewarded Lee's diligence and experimentation with the Grand Prix at the 1979 Lisbon International Show in Portugal.[17] Some members of the organizing committee of the Lisbon International Show had also served on the committee for the 1973 Biennale de Paris, and they thought very highly of Lee's participation

18
Lee, "A Report about the Objecthood
and the Gestral Art in Korean
Contemporary Art," 19. In 1989,
Lee Kun-Yong painted a scene of water
torture, which may be a recollection of
the torture he had experienced earlier.

in that event. Thus, they endorsed Lee's participation in the Lisbon event, and he submitted the first, second and fourth works from his *Body Drawing* series. Following the committee's recommendation, Lee was awarded the Grand Prix, but unfortunately, he was not able to receive the award in person, because the Korean government would not allow him to leave the country.

When I interviewed Lee Kun-Yong, he told me that the government had him under constant surveillance starting in May 1976, just after his first performance of his "events." He further testified that, after performing two events— *Come Out* and *Do You See Me?*—with Lee Dooshik at *the AG exhibition* in 1975, he was illegally detained by agents who seemed to be from Korea's National Intelligence Service. While in custody, he was violently beaten and tortured over a period of several hours, and even after being released, he was kept under government surveillance. Lee then received an official notice declaring that his events would thenceforth be considered illegal examples of avant-garde art, and that they could not be performed at the National Museum of Modern and Contemporary Art, Korea. Lee told me that he felt the authorities responded with such blatant oppression because they felt that his events with Lee Dooshik were seditious in some way.

The government's rough treatment of Lee was not without precedence. In the late 1960s, a fervor for experimental art and artistic "happenings" swept through the nation, but in 1970, the trend suffered a major setback when the government arrested many of the artists who had organized or participated in those happenings. Similarly, in 1975, the government decided to crack down on post-experimental art, and thus began hassling and oppressing many artists who were perceived as seditious.[18] After being detained, Lee decided to move to Daejeon and then Gunsan in the hopes that the government surveillance would be less forceful outside of Seoul.

Of course, even after 1975, Lee did not stop experimenting or performing his "event" works. He continued to produce exceptional and provocative work, as exemplified by *Body Drawing*, which he debuted in 1976. Perhaps his most activist work from the series is the fifth installment, which he performed on the opening day of the *ST exhibition* in 1976. For that performance, Lee repeatedly announced, "I will draw a straight line," and then drew a line between his legs. Reportedly, there was intense energy the day of the performance, as the crowd enthusiastically chanted the line in unison with Lee each time he said it. Lee later recalled that there were intelligence agents on site to observe the performance.

Although Lee was not allowed to travel to Lisbon to receive his prize in 1979, he was permitted to attend the Bienal de São Paulo that same year, thanks to a guarantee made by the Korean Artists Association. Today, the details of this oppressive treatment may sound shocking and extraordinary, but it is important to remember that this was "business as usual" for Korean artists and, indeed, all Korean citizens. At that time, the whole of Korean society was imbued with suppression and control on a daily basis. This was a period in which the entire nation was under a restrictive curfew, such that anyone caught venturing out between the hours of midnight and 4 a.m. would be arrested. Notably, in 1973, when Lee Kun-Yong flew into Charles de Gaulle Airport to participate in the Biennale de Paris, his plane arrived some time after midnight, causing him to express his concerns to his hosts about being out after curfew. This anecdote shows how deeply social oppression had been internalized in Korean people. Therefore, the sheer desperation manifested in Lee's "events" must be read within the context of this oppressive social atmosphere. In today's world, where artists from around the globe freely collaborate and exchange their work, the contemporaneous reality of Lee Kun-Yong and the other artists of his generation must be documented and detailed as history.

V. Age of Innocence and Contemplation : Drawings of "Fatigue"

In order to gain a broader understanding of Lee Kun-Yong's art, it is necessary to consider his early upbringing. His life and art have always been profoundly influenced by the circumstances of his childhood. Born in Hwanghae Province in 1942, Lee was the oldest of his parents' five children (four sons and one daughter). Despite the devastation of the Korean War (1950-1953), Lee had a relatively stable childhood due to the assiduous care of his father, a minister, and his mother, a nurse.

For Lee, the onset of adolescence coincided with the end of the war, during a period of extreme poverty and trauma for Korean society. Given the harsh environment, people were prone to be quite inhospitable towards one another, such that something as minor as exchanging eye contact with someone could ignite an incident of violence and aggression. The urban environment was unbelievably barren. For example, simply walking down a major road, such as the intersection outside Gwanghwamun Gate, would leave a person covered in dust from head to foot. Nonetheless, Lee remembered that, despite the poverty and exhaustion of the people, the overall spirit of the country remained high and alive in a way that has now been lost. Above all, Lee expressed his gratitude for the logic education he received at Baejae Middle and High School. Lee also fondly recalled that, in his neighborhood, there were still elderly men who dressed as Confucian scholars, in Korean traditional robes and hats, and who would periodically teach about Chinese sages such as Zhuangzi or Laozi. In addition to being a minister, Lee's father also served as the principal of Gwangseong Middle and High Schools. An avid reader and an aspiring novelist, Lee's father filled the house with piles of books, providing his eldest son with plenty of diverse reading material. Within this environment, the young Lee nurtured his fascination with contemporary philosophy, to the point that he even painted a large portrait of Ludwig Wittgenstein and hung it in his room. Lee was a freshman in high school during the April Revolution of 1960, which opened his eyes to the possibilities for resistance against the violence of the dictatorship. Significantly, as a teenager, Lee received a very diverse and integrated education, which is unthinkable in today's educational environment in Korea, wherein everything revolves around the university entrance exam. Thus, in spite of the poverty that marked his generation, Lee enjoyed the benefits of the advanced spirituality associated with the final vestiges of Korean traditional society. This generational context is essential for explicating the foundation of Lee's art.

Lee argued that the aesthetics of futility that characterized the art he produced throughout his life came from his mother's teaching, although in a somewhat indirect manner. Working as a nurse at Severance Hospital in Seoul, his mother repeatedly emphasized to her son that he had to make himself useful to the world. She wanted him to become a doctor, but he dreamed of becoming a painter, so he continually came into conflict with his mother. Thus, unexpectedly, his mother's lectures about making a contribution to the world actually instilled her son with the determination to become a "useless person." This could be attributed to standard teenage rebellion, but Lee has remained driven by this determination to this day. Throughout his life, he has held true to his belief that the purpose of "art is to push the useless to the extreme." This statement is related to the logical principle that any attempt to confirm the truth of what is useful must eventually invoke the useless. Interestingly, this idea paradoxically attests to the social usefulness of art.

In conjunction with the retrospective of Lee Kun-Yong at the National Museum of Modern and Contemporary Art, Korea, Lee's diary from 1963 has been made public. The diary is filled with his thoughts about Western art theory as well as his poems. One notable passage from the diary has been entitled "Sketches of Fatigue";[Fig.23] please note that this is a personal journal, so the pronoun "you" refers to Lee himself:[19]

20
The photographic documentation of
the entire performance is published
in *Lee Kun-Yong: Art Always Pessimistic
but Still Optimistic* (Seoul: aMart
Publications, 2012), 58-59.

Who the hell are you to damage yourself so much? What are you doing and what are you after, that makes you walk on this hot, dusty field to the point of exhaustion? What kind of crap are you doing, you monster?…You idiot, what the hell are you doing that you can't even keep your own tired body in balance? And what have you done so far? Even if you clench and open your fists, what is that, other than the long bones and bits of flesh on your finger?…What did I draw? I did draw. But did you really draw at all? Do you know how to draw? Do you know what it is to draw?

As this passage indicates, Lee strongly believes that knowing how to draw is much more involved than knowing what to draw. From early on, he has been concerned with the way of drawing, rather than the act of drawing; with the structure of thinking, rather than the act of thinking; and with the way of seeing, rather than the act of seeing. Lee's critical mind formed the basis for *Body Drawing*, which can be read as an assemblage of seemingly meaningless actions, and *Snail's Gallop*, a pensive extension of *Body Drawing*. As such, one might intuit that Lee Kun-Yong's series of 1970s drawing projects arose from the dissipating spirituality of Korean traditional society, and thus represent a gesture of deconstructive resistance against the vicissitudes of modern society.

Conclusion

Comparing the images of Lee's *Body Drawing* exhibited at Namgye Gallery in Daejeon in 1979 with Matthew Barney's *Drawing Restraint 20* from 2013, we can newly appreciate the unique status and avant-garde qualities of Lee's work.[Figs. 24 and 25] In this old black and white photograph, the barefoot Lee Kun-Yong presents a performance using lime powder, wood, and string. The first *Body Drawing* is exhibited on the left of the gallery wall, and the seventh *Body Drawing* is on the right.[20]

Lee's 1979 exhibition shares some intriguing similarities with Barney's 2013 installation. Barney covered a rectangular frame with graphite powder and placed it on the floor up against a wall. He then took a heavy barbell, coated it with the graphite and petroleum jelly, and then rolled it back and forth on the wall in a semi-circle.[Fig. 25] Hence, Barney traced his movement on the wall using the barbell as a drawing tool. His strenuous exertion is conveyed by the messy footprints on the floor and the rough lines on the wall. The vitality and tenacity that marked the early works of *Drawing Restraint* seem to have settled down in this work. Nonetheless, from Lee Kun-Yong's perspective, the barbell, graphite, and petroleum jelly still represent "over-consciousness" and "over-expression." For his mode of expression, Lee clearly prefers simple and natural materials, such as lime powder and wooden sticks, rather than graphite, petroleum jelly, and a barbell.[Fig.24] But interestingly, in the corner of Lee's exhibition, we can see a semi-circular arc from the seventh *Body Drawing*, which he made by moving his arm back and forth like a metronome. Judging by the roughness of those strokes, the effort of moving his arm continually back and forth was quite arduous for Lee, just as Matthew Barney struggled to wield the heavy barbell.

Previous discussions of Lee Kun-Yong's works have tended to focus on their inherent Korean-ness or their status as works of Conceptual Art, but if we are to advance our understanding of his art, we must move beyond such simplistic classifications. After all, no one evaluating the work of Matthew Barney would spend much time considering whether his work represents "American-ness" or arguing whether his art should be classified as a certain artistic style. Likewise, critics should avoid merely categorizing Lee's works according to Western artistic standards or focusing too much on generational tasks. Surely the innovative, exceptional, and unique qualities of Lee's works merit further discussion, in and of themselves. We must strive to objectively situate him in art history, and I trust that this exhibition will provide a perfect opportunity for a more proper analysis and a deeper appreciation of his art.

이건용 이벤트 카탈로그[01]
Lee Kun-Yong Event Catalogue

01
다음은 이건용의 퍼포먼스 목록으로 1976년도에 작성된 작업노트 마지막에 일차적으로 기록된 후 1979년도에 다시 작성된 것으로 보인다.

	테이프 방제기, 종이조각 쓸기	1975년 / 오늘의 방법전 / 백록화랑	
01	테이푸자르기	1975년 / 국립현대미술관 소전시실 / 공간미술대상전 / 테이프(노랑) + 가위 + 접착테이푸(빨간색)	
02	녹음기와 나이세기	1975년 / 11회 이건용 이벤트 / 75 대구현대미술제 / 국립현대미술관 소전시실 / S·T 구룹전 / 녹음기 + 음성 + 1 ~ 33.	
03	녹음기와 달리기	1975년 / 11회 이건용 이벤트 / 75 대구현대미술제 / 국립현대미술관 소전시실 / S·T 구룹전 / 녹음기 + 음성 + 달리기	
04	다섯 걸음	1975년 / 11회 이건용 이벤트 / 3인 이벤트 / 75 대구현대미술제 / 국립현대미술관 소전시실 / S·T 구룹전 / 의자 + 걷기 + 목탄	
05	팔과 건빵	1975년 / 11회 이건용 이벤트 / 3인 이벤트 / 75 대구현대미술제 / 국립현대미술관 소전시실 / S·T 구룹전 / 과자 + 의자 + 막대기 + 붕대 + 팔	
06	타격	1975년 / 75 대구현대미술제 / 국립현대미술관 소전시실 / S·T 구룹전 / 두사람 + 타격 + 걷기	
07	이리 오라	1975년 / A.G전 / 대구계명대학미술관 / 현대미술제 / 두사람 + 걷기	
08	보이느냐	1975년 / A.G전 / 대구계명대학미술관 / 현대미술제 / 두사람 + 바라다보기	
09	물마시기	1975년 / 대구계명대학미술관 / 현대미술제 / 슬라이드 + 컵 + 물	
10	성냥켜기	1975년 / 대구계명대학미술관 / 현대미술제 / 슬라이드 + 성냥	
11	물 뒤집어 쓰기	1975년 / 대구계명대학미술관 / 현대미술제 / 슬라이드 + 병 + 빠케쓰 + 물뒤집어쓰기	
12	장소의 논리 A	1975년 / 11회 이건용 이벤트 / 3인 이벤트 / 4인 이벤트 / 국립현대미술관 서관 2층 / A.G전 / 목탄 + 사람 + 거기 + 여기 + 저기 + 어디	
13	장소 B	1975년 / 국립현대미술관 서관 2층 / A.G전 / 상자 + 컵 + 물	
14	태권	1975년 / 3인 이벤트 / 국립현대미술관 서관 2층 / A.G전 / 태권 + 두 사람	
15	손수권과 숨쉬기	1975년 / 3인 이벤트 / 국립현대미술관 서관 2층 / A.G전 / 손수건 + 코막기 + 코로 숨을 쉰다 + 입으로 숨을 쉰다	
16	바늘과 실	1975년 / 국립현대미술관 서관 2층 / A.G전 / 바늘 + 실	
17	손의 논리	1975년 / 3인 이벤트 / 11회 이건용 이벤트 / 국립현대미술관 서관 2층 / A.G전 / 좌선 + 손	
18	로프와 고무줄	1976년 / 4인 이벤트 / 11회 이건용 이벤트 / 성능경 화실 / S·T 모임 / 로푸 + 고무줄	
19	로푸와 두 사람	1976년 / 4인 이벤트 / 11회 이건용 이벤트 / 성능경 화실 / S·T 모임 / 로푸 + 두 사람 + 백묵	
20	구석	1976년	
21	주전자와 물 마시기	1976년	
22	종이와 면적	1976년	
23	그 사람	1976년	
24	수도계량기 뚜껑 나르기	1976년 / 서울화랑 / 4인 이벤트 / 수도계량기 뚜껑 + 바바리코트 + 끈	
25	고무줄 팔굽에 감기 (로푸를 잘라 팔굽에 감기)	1976년 / 서울 화랑 / 4인 이벤트 / 팔굽 + 고무줄 + 가위	
26	모래	1976년	
27	손 짚어가기	1976년	
28	손의 論理 A.B.C.D	1976년	
29	숨쉬기	1976년	
30	쓸어 모으기	1976년	
31	색채 이벤트	1977년	
32	문여닫기	1975년	
33	선(線)잇기 (이어진 삶)	1978년 소지품 이어나가서 온몸으로 잇기 (대구현대미술제, 강정)	
34	울타리 만들기	1977년 화랑 내에서 나무를 이어 밖으로 내보내는 일 / 서울畵廊	
35	나무잇기 (안과 밖)	1977년	
36	분신(分身) (걷기)	1977년	
37	얼음과 백묵	1977년	
38	강가의 이벤트(삶의 굴레)	1978년 대구현대미술제 (말뚝에 끈을 매고 강물을 빠져서 계속 돌기)	
39	>	백록화랑	테이푸로 방 제기
			종이조각
40	기계인간	1979년	
41	달팽이걸음	1979년 / 쌍파울로 비엔날레(제 15회 상파울로 국제비엔날레 달팽이걸음, 퍼포먼스 발표, 상파울로 현대 미술관, 브라질)	
42	신체	1976년 / 서울출판회관(S·T展)(S.T전 : 사실과 사건, 출판문화회관)	
43	現身(身體드로잉)　A. 화면을 뒤로	1976년	
44	現身(身體드로잉)　B. 화면을 앞으로	1976년	
45	現身(身體드로잉)　C. 팔에 기브쓰를 하고	1976년	
46	現身(身體드로잉)　D. 무릎을 끓고 팔을 펴서 반원 중복으로 그리기	1976년	
47	現身(身體드로잉)　E. 시점을 중앙에 고정하고 양팔을 벌려서	1976년	
	現身(身體드로잉)　F. 양 다리를 펴고 그 사이에 종이를 깔고 직선긋기	1976년	
48	횟가루와 끈	1979년 (드로잉전, 태인(太人)화랑)	
49	곧은 나무와 휘는 나무		
50	두 개의 나무 (굵은 나무, 가는 나무, 화랑 구석)		

피로의 스켓취 [01]
Drawings of "Fatigue"

01
이건용의 1963년도 6월 6일자 일기 전문.

1963. 6. 6 일

너는 누구냐 너는 누구냐 너는 누구 길래 너를 그다지도 망치고 있느냐

너는 무슨 일을 하고 있으며 무엇을 잡으려고 먼지이는 뜨거운 벌판을 피곤하게

기진맥진해서 걷고 있느냐 너는 무슨 짓을 하고 있는 괴물이냐 너는 누구냐

너는 누구 길래 너를 그렇게 함부로 망치고 있으며 죽이고 있느냐 네가 가진 권세와

네가 가진 주장이 무엇이 길래 너는 너를 그다지도 학대하고 있느냐

너는 먼 길로 식물조차 없는 매마른(메마른) 곳으로 가고 있느냐 너는 누구냐

너는 무엇을 하는 놈이 길래 아무것도 없는 햇빛도 비도 바람도 사랑도 힘도

아무것도 없는 곳으로 너는 너를 끌고 가느냐

그곳은 (神)신도 기억에서 잊어진지 오랜 자그만 애착도 관심도 없는

매마른(메마른) 곳으로 너는 왜 가고 있느냐

당신이(God) 불러도 들을 수 없으며 볼 수도 없는 너의 원수도 알지 못하는

너만이 피 흘리며 울며 땀 흘리며 가고 있느냐.

네가 가는 길은 번지도 없으며 사람들이 말한 적도 없는 이름도 없는 괴이한

그곳으로 왜 너는 가고 있느냐

너는 이 사실을 가끔 알고 있지만 돌아서는 방법을 잊어버리고 엄청난 곳으로

가고만 있다.

너는 발을 멈추고 잊어버린 사실들을 생각하려 한 적이 얼마나 많았느냐

하지만 발을 멈추는 순간 환상 같은 걸어온 탄성에 의하여 너는 또다시 짐을 지고

걸어가고 있었다. 너는 생각할 수도 없게 되었으며 무엇이 네가 바라는 것이며

무엇이 조화며 무엇이 너를 이렇게 만들고 있다는 것도 모르고 그냥 찌그린

피곤한 얼굴을 하고 걸어가고 있었다. 그래서 네 몸 속에 축적 되였던 영양가들은

없어졌으며 뼈속(뼛속)에 들은 그 무엇인가를 빨아내서 걸어가고 있다.

너는 어지럽다. 아마 이 어지러움 때문에 너의 기억은 희미해졌으며 아마 사고의

기능이 돌아버려서 못쓰게 되었거나 꺼꾸로(거꾸로) 되여 버렸는지도 모를 일이다.

너는 누구냐 너는 무엇을 하는 놈이 길래 피곤한 몸을 가누지 못하고 있느냐

또 대체 네가 해놓은 일이 무엇이냐 네 손에는 주먹을 꼭 쥐고 펴 봐도

너의 손가락 긴뼈와 살점 외에 무엇이 있느냐.

도대체 나는 무엇을 했을까?

무엇을 하려고 피곤해 있었으며 어디를 걸어 다니다가 왔는가?

제법 아침에는 물병에 물을 담고 하얀 도화지를 가지고 나갔는데 더구나

돌아와서 보면 물감이 줄었는데 너는 무엇을 하고 왔을까.

무엇을 그렸을까.

그렸다. 과연 너는 그렸을까?

그린다는 것을 너는 알고 있니. 그린다는 것이 무엇인지.

Part 02.Physical Painting

신체적 회화

41

신체드로잉 76-1 (뒤에서), 1976
베니어판에 매직, 170 × 90 cm / 사진, 22 × 27.3 cm (各)

——

The Method of Drawing 76-1 (Drawn from Behind), 1976
Marker pen on plywood, 170 × 90 cm / Photograph, 22 × 27.3 cm (each)

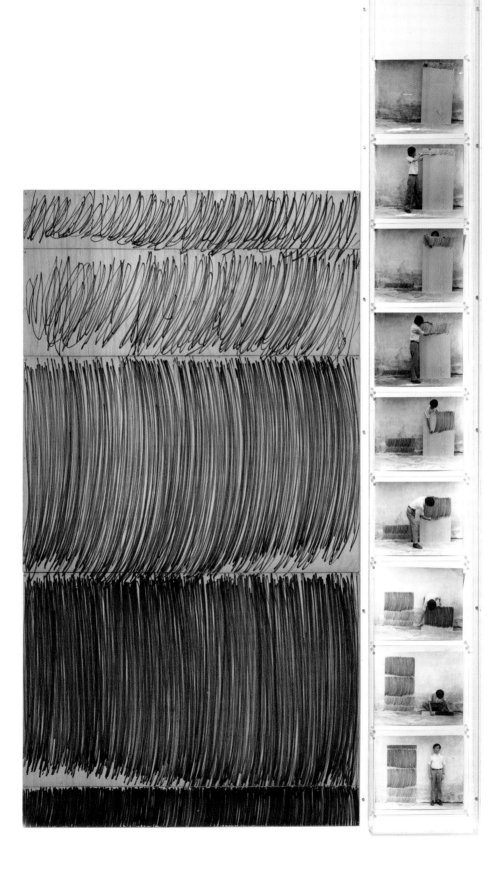

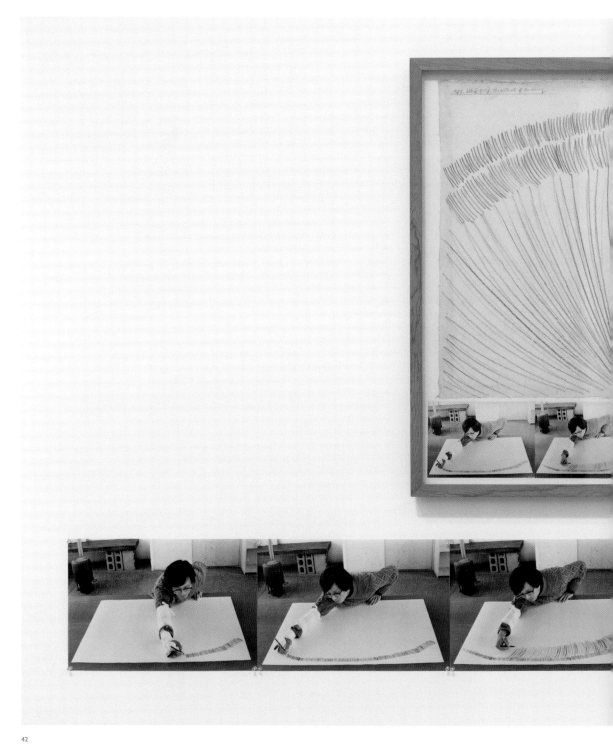

42

신체드로잉 76-4 (부목을 풀면서), 1976 (1980년 재제작)
종이에 연필, 70 × 90 cm / 사진, 30.5 × 45.7 cm (各)

———

The Method of Drawing 76-4 (Drawn while Untying the Splint), 1976 / 1980
Pencil on paper, 70 × 90 cm / Photograph, 30.5 × 45.7 cm (each)

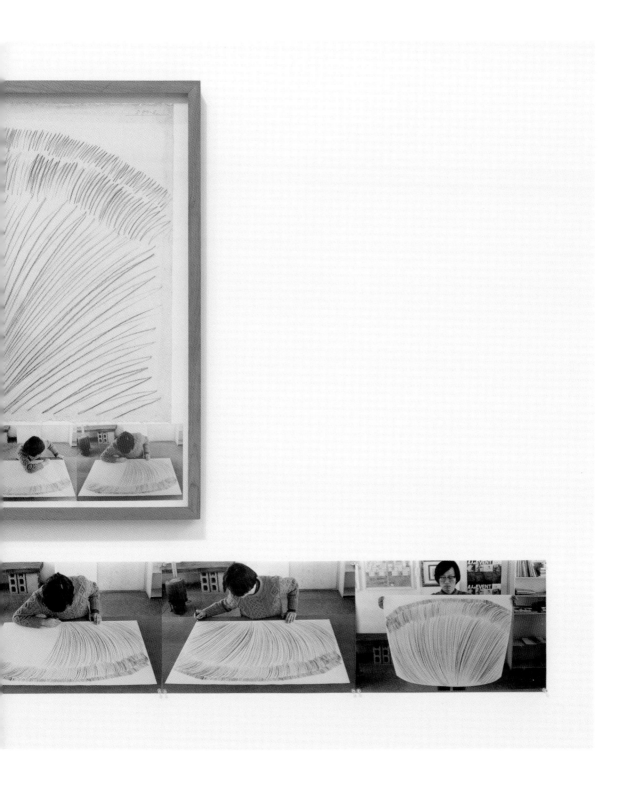

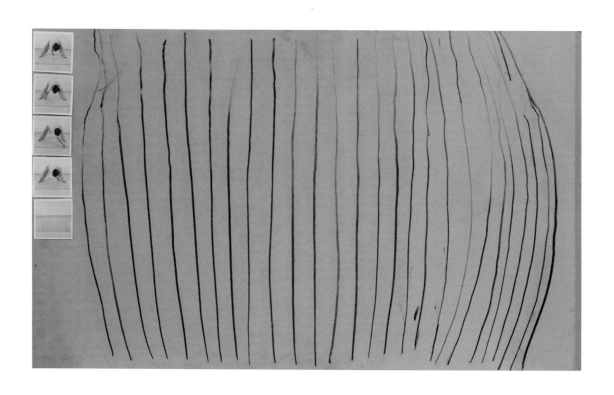

43

신체드로잉 76-5 (다리 사이로 선긋기), 1976 (2002년 재제작)
합판에 목탄, 73 × 122 cm / 사진, 30.5 × 45.7 cm (各)

———

The Method of Drawing 76-5 (Drawing Lines between Legs), 1976 / 2002
Charcoal on plywood, 73 × 122 cm / Photograph, 30.5 × 45.7 cm (each)

"Traditionally, due to the correspondence between the painter's eyes and the canvas, the canvas has been placed in front of the artist's eyes, and the eyes (perception) and hands (action) are bound to operate simultaneously. Through the whole of art history, the relationship between the painter and the painting has primarily been considered in terms of the painter conducting creative activities wherein the eyes coordinate the movement of the hands. I've tried to move beyond this purely perceptive relationship to establish a somewhat paradoxical condition wherein the painter's body acts as the agent of both perception and expression."

Lee Kun-Yong,
"Physical Painting," 1985

"전통적인 의미에서 화면과 그리는 사람의 눈과의 조응관계 때문에 행위자의 시선 앞에 화면이 놓이게 되며 눈(지각)과 손(행위)가 동시적으로 작용하게 되어있는 것이다. 사실상 전 미술사를 통하여 모름지기 손에 의해서 작업이 이루어지는 경우 조형자와 조형물과의 관계는 눈으로 보면서 창조행위를 한다는 것이 한 관례이다. 그러나 나는 그러한 회화작업상의 인식관계를 포기함으로써 신체가 지각자요 표현자라는 역설적인 회화인식 관계를 수립할 수 있었다."

이건용,
「신체적 회화」, 1985

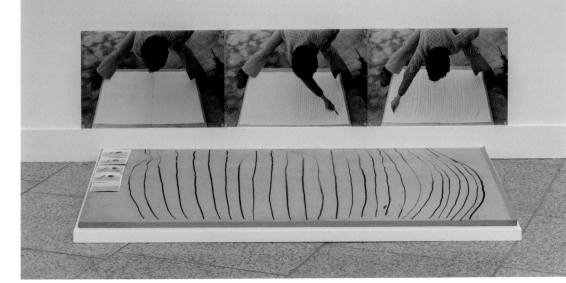

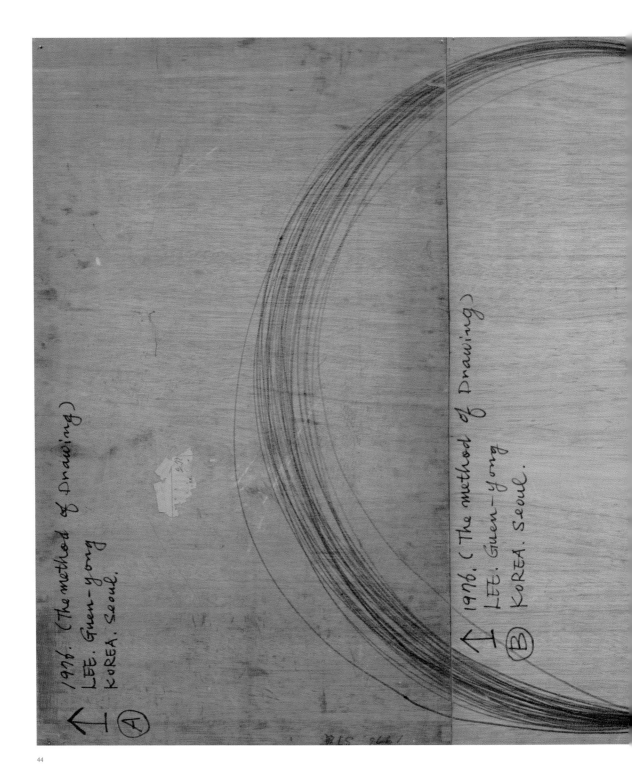

신체드로잉 76-6 (양팔로), 1976
베니어판에 매직, 122 × 217.5 cm

The Method of Drawing 76-6 (Drawn with Both Arms), 1976
Marker pen on plywood, 122 × 217.5 cm

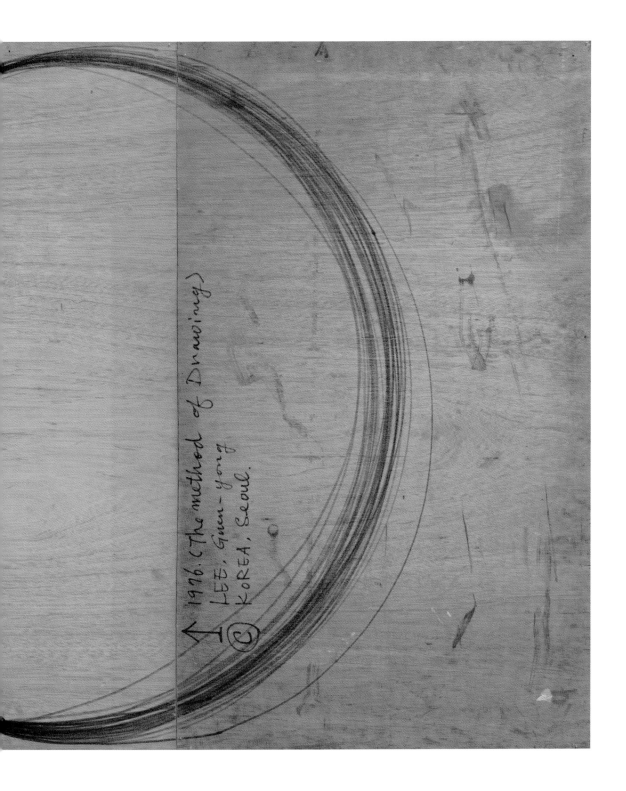

1976. (The method of Drawing)
LEE, Gun-yong
KOREA, Seoul.

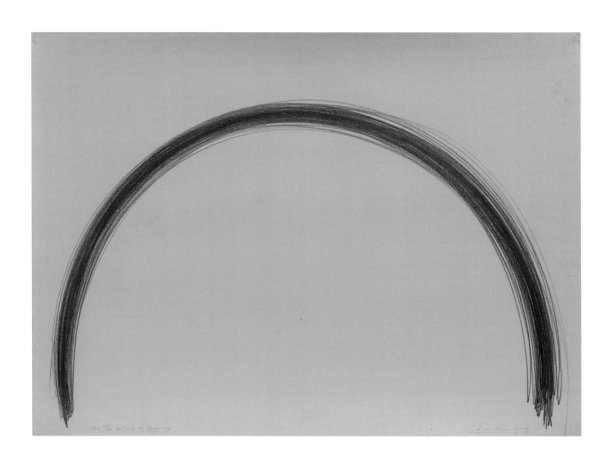

45

신체드로잉 76-7 (어깨를 축으로), 1976 (1981년 재제작)
종이에 연필, 72 × 100 cm

The Method of Drawing 76-7 (Revolving around the Shoulder), 1976 / 1981
Pencil on paper, 72 × 100 cm

46

신체드로잉 76-8 (온몸을 축으로-만월), 1976 / 2008
사진, 21 × 27.3 cm [各]

———

The Method of Drawing 76-8 (Whole Body as Axis-Full Moon), 1976 / 2008
Photograph, 21 × 27.3 cm (each)

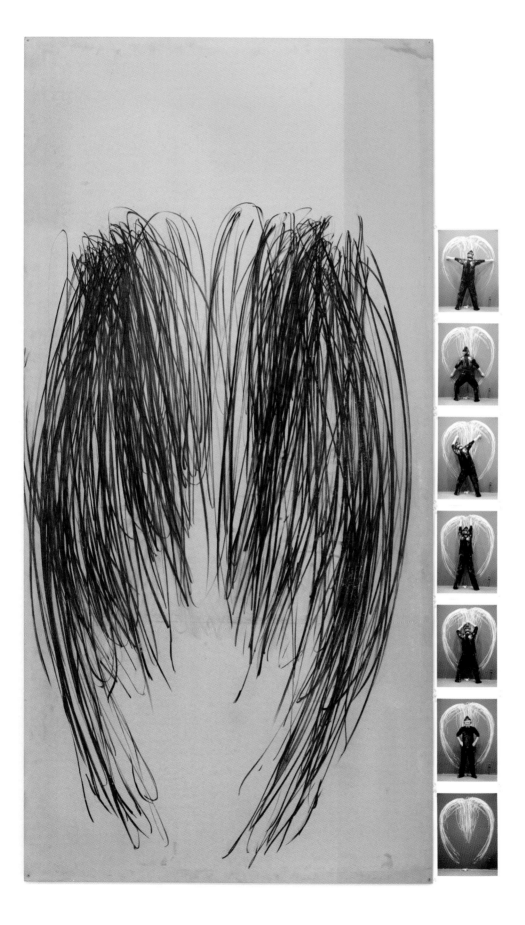

신체드로잉 76-9 (두팔로 몸부림-하마궁둥이), 1976 / 2002
합판에 목탄, 244 × 122 cm / 사진, 27.3 × 21 cm (各)

The Method of Drawing 76-9 (Struggling with Both Arms-Hippo's Rump), 1976 / 2002
Charcoal on plywood, 244 × 122 cm / Photograph, 27.3 × 21 cm (each)

48

신체드로잉 85-0-3 (남자), 1985
캔버스에 유채, 228 × 181 cm

The Method of Drawing 85-0-3 (Male), 1985
Oil on canvas, 228 × 181 cm

49
신체드로잉 85-0-5 (여자), 1985
캔버스에 유채, 226 × 180.5 cm

———

The Method of Drawing 85-0-5 (Female), 1985
Oil on canvas, 226 × 180.5 cm

신체드로잉 85-0-6 (하트), 1985
캔버스에 유채, 연필, 사진, 130 × 161 cm

The Method of Drawing 85-0-6 (Heart), 1985
Pencil, photo, and oil on canvas, 130 × 161cm

신체드로잉 85-0-9 (회오리-바람), 1985
캔버스에 유채, 91 × 75 cm

The Method of Drawing 85-0-9 (Tornado), 1985
Oil on canvas, 91 × 75 cm

52

인간항(중년부인) 76-3-07-05, 1990
종이에 아크릴릭, 197 × 197 cm

Human's Term (Middle-Aged Woman) 76-3-07-05, 1990
Acrylic on canvas, 197 × 197 cm

53

신체드로잉 (천사들), 1995
캔버스에 유채, 259 × 384 cm

The Method of Drawing (Angels), 1995
Oil on canvas, 259 × 384 cm

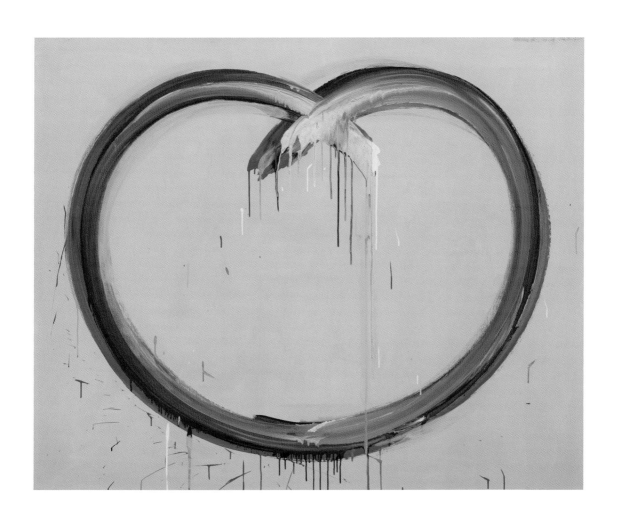

신체드로잉 76-3-07-04, 2007
캔버스에 아크릴릭, 130.3 × 160 cm

———

The Method of Drawing 76-3-07-04, 2007
Acrylic on canvas, 130.3 × 160 cm

55

신체드로잉 76-3-07-03-L.A, 2007
캔버스에 아크릴릭, 130.3 × 162.2 cm

The Method of Drawing 76-3-07-03-L.A., 2007
Acrylic on canvas, 130.3 × 162.2 cm

56

신체드로잉 76-3-08-02 (하트배꼽), 2008
캔버스에 사진, 아크릴릭, 130.3 × 162.2 cm

The Method of Drawing 76-3-08-02 (Belly Button of Heart), 2008
Photo and acrylic on canvas, 130.3 × 162.2 cm

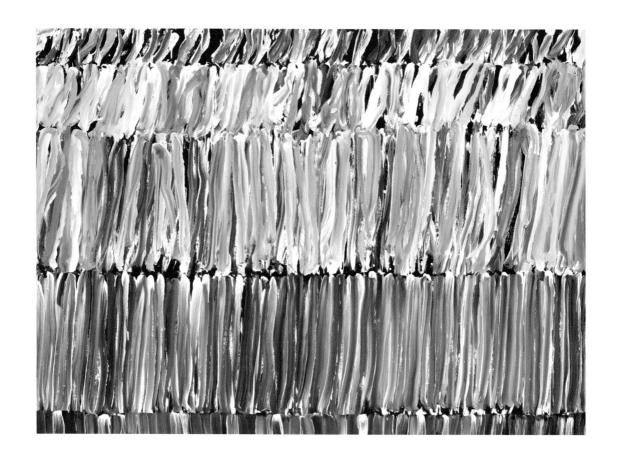

57

드로잉의 방법 76-1 (흑백), 2008
캔버스에 아크릴릭, 170 × 237 cm

————

The Method of Drawing 76-1 (Black and White), 2008
Acrylic on canvas, 170 × 237 cm

58

드로잉의 방법 76-1-08-01 (유령), 2008
캔버스에 사진, 아크릴릭, 260 × 194 cm

————

The Method of Drawing 76-1-08-01 (Phantom), 2008
Photo and acrylic on canvas, 260 × 194 cm

59

신체드로잉 76-2-08-02, 2008
캔버스에 아크릴릭, 227 × 200 cm

The Method of Drawing 76-2-08-02, 2008
Acrylic on canvas, 227 × 200 cm

신체드로잉 76-3-08-01 (여성을 위하여), 2008
캔버스에 사진, 아크릴릭, 260 × 200 cm

———

The Method of Drawing 76-3-08-01 (For Women), 2008
Photo and acrylic on canvas, 260 × 200 cm

신체드로잉 76-2-08-01 (미래의 관문), 2008
캔버스에 사진, 아크릴릭, 260 × 200 cm

The Method of Drawing 76-2-08-01 (Gateway to the Future), 2008
Photo and acrylic on canvas, 260 × 200 cm

62
우기(雨期), 2012
캔버스에 아크릴릭, 34.8 × 21.2 cm

Monsoon, 2012
Acrylic on canvas, 34.8 × 21.2 cm

63
화면 뒤에서 그린 사람을 위하여, 2011
캔버스에 아크릴릭, 170 × 258 cm

For the One Who Painted from Behind, 2011
Acrylic on canvas, 170 × 258 cm

64

76-1-변형 (量이 천재를 만든다), 2011
캔버스에 아크릴릭, 가변크기

———

76-1-Variation (Quantity Creates Genius), 2011
Acrylic on canvas, Dimensions variable

76-1-변형 (물이 천재를 만든다), 2011
캔버스에 아크릴릭, 가변크기

76-1-Variation (Quantity Creates Genius), 2011
Acrylic on canvas, Dimensions variable

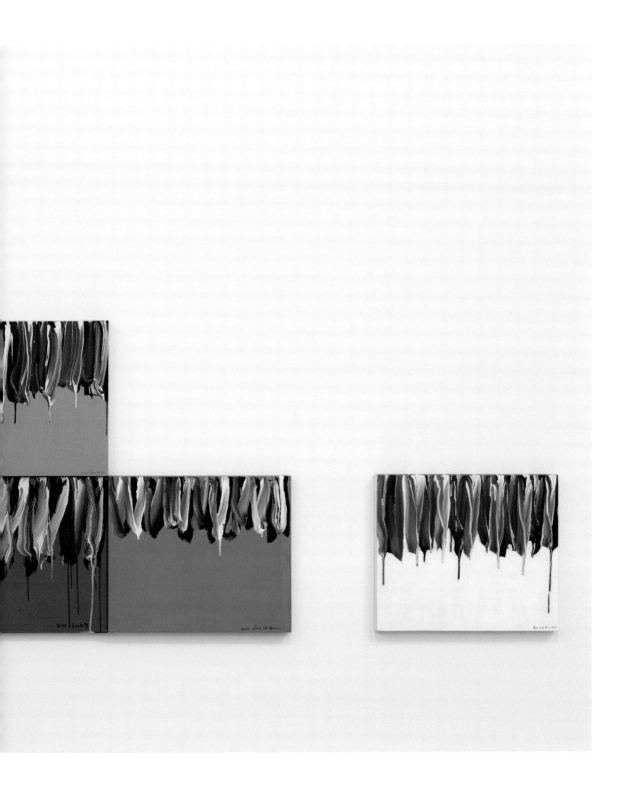

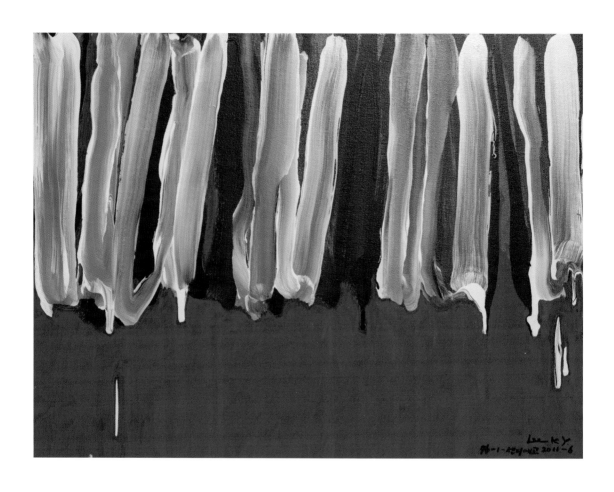

76-1-변형 (量이 천재를 만든다), 2011
캔버스에 아크릴릭, 가변크기

———

76-1-Variation (Quantity Creates Genius), 2011
Acrylic on canvas, Dimensions variable

16-1-2011. 2011. Lee K Y.

2011. Lee K Y

《달팽이 걸음 _ 이건용》전 전시전경 | Installation View of *Lee Kun-Yong in Snail's Gallop*

《달팽이 걸음 _ 이건용》전 전시전경 | Installation View of *Lee Kun-Yong* in *Snail's Gallop*

《달팽이 걸음 _ 이건용》전 전시전경 | Installation View of *Lee Kun-Yong in Snail's Gallop*

《달팽이 걸음_이건용》전 전시전경 | Installation View of *Lee Kun-Yong in Snail's Gallop*

이건용의 로지컬 이벤트 - 1970년대를 중심으로

배명지
코리아나 미술관 책임 큐레이터

01
Jean-François Lyotard,
"Gesture and Commentary," *Iyyun,
The Jerusalem Philosophical Quarterly,
42, 1* (1993), pp. 37-48, Erin Brannigan,
*Dancefilm_Choreography and
the Moving Image,* Oxford University
Press, 2011, p.172에서 재인용.

2000년대 중반 이후 국내외 미술계에서 퍼포먼스에 대한 관심이 그 어느 때보다도 높아졌다. 미술관 곳곳에서 퍼포먼스가 시시각각 출몰하는 것은 더 이상 낯선 현상이 아니다. 대형 미술관들은 전시와 별도로 퍼포먼스 프로그램을 진행하고 있으며 연극과 무용, 미술의 퍼포밍이 '퍼포마'나 '페스티벌 봄' 등의 페스티벌을 통해 미술관 안팎에서 서로 연합하고 있다. 또한 작년 2013 베니스 비엔날레 황금사자상은 다름 아닌 티노 세갈의 퍼포먼스였다.

우리는 현재 시점에서 퍼포먼스의 귀환을 어떻게 바라볼 수 있을까? 퍼포먼스에 대한 최근의 관심은 20세기 후반 네오 아방가르드 작가들이 주목한 '몸'과는 다른 지점에서 출발하는 듯하다. 삶을 예술과 통합하고 신체의 물질성을 재고함으로써 정신과 신체를 대립시킨 코기토를 해체하려 했던 20세기 후반의 몸짓은 현재 시점에서는 그리 유효하지 않아 보인다. 최근 퍼포먼스에 대한 관심은 신체 자체에 대한 관심을 넘어선다. 몸으로 쓰는 사유 행위로서 퍼포먼스는 물질과 정신을 동시에 의미화 할 수 있기 때문이다. 리오타르가 신체의 제스처는 사고를 위한 대안적이고도 비선형적인 모델이라고 언급하였듯이[01] 최근의 퍼포먼스의 귀환은 신체가 세계와 만나고 철학적 사유를 위한 출발점이 될 수 있다는 공감대에서 시작한다.

최근 현대미술계에서 주목받고 있는 퍼포먼스를 서두에서 언급한 것은 이건용의 1970년대 행위미술을 현재 시점에서 어떻게 바라보아야 할 것인가에 대한 고민에서 시작한 것이다. 이건용은 1975년 '로지컬 이벤트(Logical Event)'라 불리는 행위미술을 시작한 이후 2000년대를 넘어선 시점까지 자기만의 독특한 행위미술을 천착하고 있는 한국현대미술사의 독보적인 작가이다. 현재 시점에서 우리가 이건용의 로지컬 이벤트에 주목해야 하는 이유는 '신체를 세계와 만나는 가장 본질적이고 중요한 역할'로 간주했던 행위미술에 대한 그의 관점이 몸으로 쓰는 사유행위로서 퍼포먼스를 바라보는 최근의 관점에 중요한 시사점을 던져주기 때문이다.

이건용의 로지컬 이벤트와 1970년대 한국현대미술

이건용의 최초의 행위미술은 1975년 백록화랑에서 《오늘의 방법》전의 '이벤트-현신(現身)'이라는 이름으로 진행되었던 〈실내측정〉과 〈동일면적〉으로 알려져 있다. 두 작품 모두 매우 논리적이고 계획적인 방식으로 공간의 길이와 면적을 '측정'하는 행위미술이다. 〈실내측정〉은 비정형의 오각형 전시공간을 테이프로 측정하는 행위의 과정을 보여준다. 우선 7미터 길이의 테이프로 8미터 전시장의 대각선 길이를 측정하면서 1미터가 모자람을 인지한 후, 오각형 전시장의 각기 다른 길이의 변들을 긴 것부터 차례로 재고 남은 여분의 테이프를 차례로 끊어 놓은 다음, 다시금 대각선상에 잘라진 모든 테이프들을 연결해 놓는 작업이다.

02
이건용, 「이벤트·現身-지각의 논리적 행위」,
『월간 프로그램』 1975. 6.

03
이건용은 배재고등학교 시절부터 현상학과
언어분석철학을 상식적으로 알고 있었고,
비트겐슈타인의 언어논리의 토톨로지에 미쳐
있다시피 하였다고 언급하였다.
이건용, 「문화회고 시스템 위에 세워진 자서전적
궤적」, 『문학정신』 1990. 8, p. 77.

04
이건용, 「한국의 입체·행위미술 그 자료적
보고서」, 『공간』 1980. 6, p. 18.

05
그룹토론, 김용민, 성능경, 이건용, 김복영,
「사건·장과 행위의 통합 '로지컬 이벤트'」,
『공간』 1976. 8, p. 42, 45.

06
이건용, 「이벤트·現身-지각의 논리적 행위」 참조

〈동일면적〉은 한지를 접고 펴고 그 윤곽선을 바닥에 그리고 찢는 등의 행위의 과정을
통해 전시장 면적의 동일성과 차이를 논리적으로 되묻는 작업이다. 우선 손바닥만하게
사각형으로 접은 전지의 한지를 호주머니에서 꺼내 완전히 편 다음, 모서리로 가지고
가서 바닥에 깔고 백묵으로 선을 그어 종이 크기만한 사각공간을 만든다. 그 후 종이를
펼쳐놓은 공간은 비워두고 나머지 전시공간에 종이를 찢어 늘어놓고, 잠시 후 백묵으로
그려놓은 바닥의 원래 사각 공간 안으로 이를 쓸어 모으는 작업이다.[02] 전지 사이즈 만큼
백묵으로 그은 사각의 한정된 공간과 나머지 전체 공간이 어찌 보면 동일한 면적일 수
있음을 종이 펴기와 찢기라는 반복적 행위로 되묻는 작업이라 할 수 있다. 결국 길이와
면적을 측정하고 그 크기를 비교하는 등의 방식으로 장소, 오브제, 그리고 신체 사이의
긴밀한 관계를 만들어낸다.

이건용은 일시적이고 우연적인 행위가 아닌 매우 계획적이고 논리적인 방식의
행위미술에 주목하였는데, 이러한 그의 관심은 자신의 작업을 처음부터 '로지컬 이벤트'
혹은 '이벤트 로지컬'이라고 부른 것에서 드러난다. '논리적 사건'으로 명명되는 그의
작업에서 '논리'와 '사건'은 이건용의 '행위'를 이해하는 핵심개념이다. '행위'에 '논리'를
결부시킨 이건용의 로지컬 이벤트는 작가도 여러 번 언급하였듯이 세계를 통찰하기
위한 거울상으로서 (언어) 논리에 주목한 비트겐슈타인에 대한 이해에서 출발한다.
비트겐슈타인이 언어와 사물을 떼어내어 언어자체를 논리적으로 집요하게 파고들면
세계에 대한 이해에 도달할 수 있다고 믿었듯이, 이건용은 행위자체를 그 목적성에서
떼어내어 논리적으로 분석하면 인간과 사물의 문제를 사건화하고 세계에 대한 지각에
다다를 수 있다고 생각하였다.[03]

작업노트에서 밝히고 있듯이 이건용의 행위는 인간과 더불어 있는 세계에 대해
어떻게 지각할 것인가라는 문제 속에 포함된다.[04] 작가가 이해하는 세계는
'사건(event)'들로 이루어져있고, 사건은 어떤 행위로서 존재하는데 행위를 사건화
할 때는 주관이 포기된 객관적인 논리로 이루어져있어야 한다는 것이 작가의 기본적인
주장이다.[05] 그리고 이때의 논리는 인간의 일방적인 것이 아니며, 장소와 오브제,
그리고 인간이 충분히 의논된 (관계된) 중성적인 논리이며, 바로 이 중성적 논리야 말로
행위의 의미와 그 세계성을 있는 그대로 드러내어 사건을 고정화하지 않고 세계와
인간에 대한 관계론적 지각을 가능하게 한다는 것이다.[06] 이건용의 로지컬 이벤트가
지향하는 지점은 일상의 행위를 단순히 작품으로 전환시키거나 정신과 대립하는
신체의 물질성을 역으로 드러내고자 하는 것이 아니라 신체를 통해 세계와 만나는데
있다. 그리고 세계와의 만남을 가능하게 하는 것은 '중성적 논리'가 개입된 행위,
그리고 그 결과로서의 의미 있는 사건을 통해서이다.

중성적인 논리를 강조하는 이건용의 로지컬 이벤트는 1960년대 후반에서

07
1960-70년대 사회적 상황과 행위미술과의
관계에 대해서는 김미경, 「1960-70년대
한국의 실험미술과 사회」, 이화여자대학교
대학원 박사학위 논문,
1999, pp. 79-96 참조.

08
그룹토론 김용민, 성능경, 이건용, 김복영,
앞의 글, pp. 42-46.

09
이건용은 1971년 '한국미술협회전'에서
설치 작품 <신체항>으로 수도경비사령부에서
나온 사람들에게 곤욕을 치룬바 있고,
AG 4회전에서 이벤트 <이리오너라>(1975)를
진행한 이후 형사에 의해 소위 '안가'에 끌려가
위협을 당한 바 있었다. 김미경, 앞의 논문,
p. 115-116, 131.

1970년대 초반에 진행 되었던 실험예술집단의 행위미술과 뚜렷한 변별성을 가진다. 1967년 《청년작가연립》전에서 벌어진 최초의 퍼포먼스 <비닐우산과 촛불이 있는 해프닝>에서부터 강국진, 정찬승, 정강자 등 《신전동인》을 중심으로 진행되었던 <화투놀이>나 <투명풍선과 누드>(1968) 등 집단적이며 우발적인 상황에 반응하는 연극적인 행위미술과는 그 성격을 달리하는 것이다. 또한 <사이비 문화 장례식>, <한강변의 타살>과 같은 문화비판적 행위미술이나 1970년대 《제4집단》의 일련의 반체제적 행위미술과는 더욱더 구별된다.[07] 이건용은 이러한 퍼포먼스를 해프닝이라 명명하며 상황에 따라 변화하는 우발적이고 즉흥적인 해프닝과 계획된 논리에 따라 진행되는 로지컬 이벤트를 구별하였다.[08]

이건용이 해프닝과 이벤트를 구분하면서 자신의 행위미술의 변별성을 확언하려 하였던 것은 미술내적으로는 개념과 논리에 대한 예술가로서의 지적 관심이 당연 우선이었겠지만, 미술외부로 눈을 돌리자면 1970년대 당시의 사회적 상황과도 무관하지 않음을 짐작할 수 있다. 1970년대 유신 정권아래 행위미술가들의 해프닝이 반정부적 행위로 쉽게 낙인찍히고 자신을 비롯하여 몇몇 행위미술가들이 경찰에 끌려가거나 취조를 받았을 뿐 아니라[09] 정치적 몰이해로 행위미술 집단 자체가 해체되기도 했던 당시 시대상황 하에서, 행위의 내적 논리와 개념을 지향하면서 사회적 발언을 우회적으로 드러내는 것은 '탈속(脫俗)의 예술'로 보이면서 자신의 작업세계를 지속시킬 수 있는 가능한 방법이었을지도 모른다.

이건용은 1975년 첫 이벤트를 시작한 이래 1980년까지 50여개의 이벤트를 선보였는데, 그의 주요한 로지컬 이벤트는 모두 1970년대에 이루어졌다고 해도 과언이 아니다. 1970년대는 정치적으로는 유신 선포로 인한 억압의 시기였고, 반공법, 단속, 시위, 분신, 서거 등으로 사회적으로는 어지러운 정국이었으며, 경제적으로는 경제개발계획과 새마을 운동으로 본격적인 산업화와 경제 부흥이 시작되는 시점이었다. 미술계에서는 평면회화에서 탈피하여 다양한 예술적 '실험'들이 이루어지는 시기였다고 볼 수 있다. 화단의 미학적 주류였던 앵포르멜의 열기가 가신 1965년 이후부터 단색조 회화가 본격적으로 대두되기 시작한 1970년대 중반까지 10여 년 동안 한국미술계에는 입체, 해프닝, 이벤트, 설치미술, 오브제 등을 기조로 한 예술적 실험이 소집단을 중심으로 전개되고 있었다. <신체항>과 '로지컬 이벤트'로 대표되는 이건용의 작업처럼 '입체'와 '행위'로 대별되는 이 시기 작업은 평면을 탈피하려는 노력이 지배적으로 등장하였다. 앞서 언급한 《청년작가연립전》,《신전동인》,《무동인》,《제4집단》 등을 비롯하여 AG와 ST 등의 예술그룹은 당시 실험과 전위로 일컬어지는 이러한 예술 작업의 중심에 있었다.

이건용은 AG(1969-1975)와 ST(1971-1981) 그룹 모두에 참여하였고 ST 창립에 주도적인 역할을 한 것으로 잘 알려져 있다. 이 두 그룹은 평론가(이일, 오광수, 김인환,

10
이우환의 「만남의 현상학 서설」은 1971년 「AG」
4호에 번역·소개되었고, 1975년
『공간』에 재수록되었다.

11
이건용이 조셉 코수스의 이론, 메를로 퐁티
현상학, 노장사상, 이우환의 모노하 이론에 큰 관
심이 있었음은 이건용, 「문화회고 시스템 위에 세
워진 자서전적 궤적」, pp. 77-78 참조.

12
이건용, 위의 글, p. 78.

김복영 등)와 작가들이 모여 전시회 개최를 비롯하여 잡지를 발간하거나 서구의 새로운
미술이론에 대해 토론하는 등, 당시 최전선의 전위미술을 실험하고 모색하려 하였던
진지한 예술 집단이었다. 시간성과 장소성, 물질과 장(場), 행위를 통한 논리 등에
주목했던 ST의 작업은 이 그룹을 주도했던 이건용 작업의 주요 테마이기도 하였다.
총 8회에 걸친 ST 전시를 통해 한국현대미술사에서 주목할 만한 행위미술 '이벤트'가
자리 잡게 되었는데, 그 중심축에는 이건용이 있었다.

ST에서는 개념미술가 조셉 코수스(Joseph Kosuth)의 「철학 이후의 미술」이나
이우환의 「만남의 현상학 서설」 등을 이론적으로 탐구하였다.[10] 특히 미술의 언어학적
탐구를 시도하여 미술의 사고 시스템 자체를 미술의 본질로 파악한 코수스의 예술론은
미술의 본질이란 무엇인가에 대한 이건용의 오랜 질문에 명쾌한 해답을 주었고,
메를로 퐁티의 신체론과 동양의 노장사상, 그리고 이 둘을 기조로 한 이우환의 모노하
이론은 사물을 대상화하지 않고도 그것을 매개로 존재를 드러낼 수 있으며, 신체를 통해
세계와 관계 맺을 수 있다는 중요한 관점을 제시해주었다.[11] 비트겐슈타인의 분석철학
과 메를로 퐁티 현상학에 대한 작가의 오랜 관심은 ST에서 조셉 코수스와 이우환의
예술론 등을 탐구하며 심화되었고, 여기서 길어 올린 논리, 명제, 개념, 사건, 장소, 신체,
세계 등에 대한 철학적 사유는 로지컬 이벤트의 지적 근원으로 작용하였을 것이다.

로지컬 이벤트 - 행위에 논리를 더하다
이건용은 1975년 10월 ST 4회전에서 〈건빵 먹기〉, 〈다섯 걸음〉, 〈10번 왕복〉,
〈5번의 만남〉, 〈나이세기〉 등 다섯 개의 이벤트를 선보였다. 이중 〈건빵 먹기〉는 깁스를
통해 오른손의 행동을 손목, 팔굽, 겨드랑이, 관절과 허리 등으로 점차적으로 제약한
다음 건빵을 먹는 행위로서, 외부로부터 오는 신체 구속의 강도에 따라 점차적으로
힘들어지는 건빵 먹기의 상황을 제시하며 먹는 행위 자체를 의식시켜 주는 작업이다.
〈다섯 걸음〉은 한쪽 끝에서 다섯 발자국을 걷고 멈춰 선 후 발끝에다 백묵으로 금을
긋고 다시 출발선으로 되돌아온 후 똑같이 다섯 발자국 만에 금긋기 동작을 되풀이
하지만 매번 멈춰서는 자리가 달라 백묵의 금이 엇갈리게 되는 작업이다.
〈10번 왕복〉은 5-6미터 거리를 뛰어서 열 번 왕복하며 녹음기 앞에 올 때 마다 한번,
두 번 하는 식으로 열 번까지 세어 녹음하고 마지막에 녹음기를 재생하여 구령이 나오는
소리를 들으며 한번을 갔다 와서는 '한 번'하고 외쳤을 때 녹음기에서는 '열 번'이
들리는 작업이며, 〈5번의 만남〉은 두 사람이 마주보고 서서 걸어와서는 만나는
지점에서 잠시 서 있다가 되돌아가곤 하는 일을 계속하다가 갑자기 만난 지점에서
보조자의 뺨을 때린 후 다시 되돌아갔다가 아무 일도 없었던 것처럼 만나서는 관중
속으로 사라져버리는 작업이다. 마지막으로 〈나이세기〉는 작가가 녹음기를 틀어놓고
하나부터 서른 넷(당시 작가의 나이)까지 세어 나가다가 행위자는 세기를 멈추지만
녹음기에서는 계속 그 이상의 숫자를 세어 나가는 일 등이다.[12]

13
이건용 이벤트의 자기동일성의 논리에 대해서는
박용숙, 「이건용의 이벤트」, 「공간」,
1975.10·11, p. 80 참조.

14
이건용은 관객들이 <건빵 먹기>에서
당대의 궁핍성과 같은 일종의 사회학적 측면을
감지하였다고 언급하였다. 2014년 5월 1일,
이건용과의 대담.

15
2014년 5월 1일, 이건용과의 대담.

또한 1975년 12월 30일 그로리치 화랑에서의 《3인의 이벤트》에서 선보인 이벤트 중 대표작이라 할 수 있는 〈손의 논리〉는 손의 다양한 동작을 특수한 상황에서 떼어내어 논리적으로 보여줌으로써 손동작들을 하나의 사건으로 전환하는 작업이다. '손의 논리' 시리즈 중 〈손의 논리 4〉(그로리치 화랑, 《3인의 이벤트》)는 좀 더 퍼포머티브한 동작으로 변형되기도 한다. 땅바닥을 바라보고 코를 막고, 바닥을 바라보고, 또 코를 막다가 호주머니에서 손수건을 꺼내 코를 막은 후 손수건을 바닥에 내려놓는다. 이 작업을 본 관객들은 코를 막는 작가 행위의 근원이 바닥에서 나는 냄새라고 당연히 간주하지만, 마지막에 손수건을 바닥에 놓는 행위에서 그러한 유추는 배반당한다. 코를 막는 손동작은 냄새에 의한 것이 아닌 단지 작가의 손동작 행위 그 자체에 불과하였다는 사실을 관객은 이벤트가 끝난 사후에야 인지하게 되는 것이다.

이러한 일련의 이벤트를 통해 볼 때, 먹기, 걷기, 숫자세기, 냄새 맡기 등과 같은 일상의 행위는 로지컬 이벤트의 내용이 된다. 그러나 그의 이벤트는 배가 고파서 밥을 먹는다거나, 더하기를 위해 숫자를 센다거나, 운동하기 위해 걷는다거나, 냄새를 맡기 위해 손수건을 가져가는 등, 무언가를 위해 행하는 매우 익숙한 일상의 행위를 배반하고 만다. 그러면서 먹기, 걷기, 숫자세기, 냄새 맡기라는 행위 그 자체를 낯선 시선으로 다시 바라보게 만든다. 반복적이고 계획적인 논리적 행위에 의해 어느 순간 '일상의 행위'가 '즉물화된 행위'로 바뀌는 것이다. 즉물화된 행위란 목적성과 일상의 맥락에서 행위를 일탈시켜 행위 그 자체만을 새롭게 사고하게 만드는 '자기 동일성의 논리'가 개입된 행위이다.[13] 이건용의 작업에서는 그것이 바로 의미 있는 사건, 로지컬 이벤트가 된다. 다시 말해 로지컬 이벤트가 되기 위해서는 행위 그 자체를 자기 동일적으로 반복하는 집요한 행위가 필요한데, 신체를 점진적으로 제한하여 건빵을 계속 먹는다든가 숫자를 지속적으로 센다거나 일정 거리를 끊임없이 왕복 하는 행위 등이 바로 이에 속한다.

나아가 이건용의 이벤트는 논리를 통해 행위 그 자체를 즉물화시키면서도 사회적 의미의 차원으로 확장되기도 하는데, 이는 작가도 여러 번 주장하였듯이 그의 이벤트가 근본적으로 세계와 인간에 대한 지각을 의도하고 있음을 말해준다. 〈건빵 먹기〉와 같은 이벤트가 보여주는 신체의 구속과 제한은 1970년대 당시 사회적 통제나 궁핍한 삶을 암시하기도 하며,[14] 〈나이세기〉에서 녹음과 재생, 그리고 말하기라는 계산된 행위를 통해 하나의 '사건'이 된 숫자세기는 시간의 흐름, 나이듦, 삶과 죽음 등 보편적인 인간사를 사유하게 한다. 또한 〈손의 논리 4〉는 작가의 개개의 소소한 행위들을 감시하고 여기에 원래 의도와는 전혀 다른 정치적 의미를 부여하려고 한 당시 유신정권의 정치적 시선을 비틀기 위한 것이기도 하다.[15]

1977년 10월 ST 6회전에서 선보인 〈얼음과 백묵은 발신하라〉는 백묵 한 자루와 얼음 한 덩이를 가지고 진행된 이벤트이다. 전시장 바닥에 얼음을 놓고, 근처에 '얼음과

16
2014년 5월 1일, 이건용과의 대담.

17
루트비히 비트겐슈타인 지음, 이영철 옮김,
『논리-철학 논고』, 책세상, 2006, p. 81, 104.

18
예를 들면 "도서관에서 학생들이 책을 읽고 있다"
라는 말은 도서관, 학생, 책, 읽다라는 것들이
서로 관계를 맺고 있다는 사실을 말해주는데,
비트겐슈타인은 이런 방식으로 언어세계를
설명할 수 있고, 언어를 정확히 객관적이고
논리적으로 분석하면 그에 해당하는 세계를
설명할 수 있다고 본 것이다.

19
이 전시에서 이건용은 <장소의 논리> 이외에
<바늘구멍 잇기>, <이리 오너라>,
<내가 보이느냐> 등을 선보였다.

'백묵은 발신하라'라는 글을 백묵이 거의 다 닳을 때까지 쓴다. 그 후 녹음기에 바닥에
쓴 글과 같은 내용을 음성으로 녹음하고 바닥의 얼음이 다 녹을 때까지 틀어놓는다.
결국 얼음은 다 녹아 물이 되었고, 백묵 한 자루는 바닥 쓰기에 의해 소멸되었다.
얼음이나 백묵과 같은 물질은 녹거나 쓰임으로써 다른 물질과의 관계가 이루어지고,
언어는 말을 통해 타자와 교신하게 되는 상태를 보여주기 위한 것이다. 언어와 사물의
쓰임을 사유하는 이벤트라 할 수 있다.[16] 언어와 사물을 논리적으로 명제화하고자 한
비트겐슈타인의 입김이 감지되는 작업이다.

언어 논리를 세계의 거울상으로 탐구한 비트겐슈타인은 행위를 논리적으로 분석하고
사건화하는 이벤트를 통해 세계를 지각하고자 하는 이건용 이벤트의 출발점이다.
비트겐슈타인의 『논리-철학 논고』에서 논리학 명제들은 동어반복들 속에서 세계의
논리를 보여주는데, 이는 모든 것을 포괄하고 세계를 반영하는, 세계의 거울상으로
이해되었다.[17] 즉 언어는 세계를 반영하고 있는 세계의 그림인데, 언어를 사실(사물)로
부터 떼어내어 객관적이고 논리적으로 분석하면 언어 밖에 있는 세계를 비출 수 있다는
것이 비트겐슈타인의 주장이다.

세계는 사실들로 이루어져 있고 사실이란 사물들이 어떤 관계를 맺는 것이므로
이 관계를 언어로 객관화시키면 세계를 알 수 있다[18]고 하는 비트겐슈타인 분석철학은
'세계란 사건들로 이루어져 있고 그 사건이란 행위로 존재하며 객관적으로 행위를
사건화하면 세계에 대한 이해에 다가갈 수 있다'라고 한 이건용의 로지컬 이벤트론과
연결지점을 가진다. 다시 말해 언어의 자기 동일적 분석을 통해 세계를 설명하고자 한
비트겐슈타인의 논리는, 중성적 논리가 개입된 행위를 통해 세계와 연결지점을 가지고
자 한 이건용 이벤트론의 기저를 이룬다고도 볼 수 있다. 우연의 개입을 허용하지 않는
다고 한 여타 ST 멤버들의 불만에도 불구하고 이건용이 논리적 행위를 포기하지 않은
것은 바로 비트겐슈타인으로부터 출발한 작가적 신념이 아니었을까.

세계와 만나는 가장 본질적이고 중요한 역할은 신체이다.

이건용은 1975년 12월 16일 마지막 AG 전에서 로지컬 이벤트의 대표작이라고 할 수
있는 <장소의 논리>를 발표하였다.[19] 이 작품은 전시장 중앙에 홀연히 등장해 백묵으로
전시장 바닥에 원 하나를 긋고 원 밖에 서서 원의 중심을 향하여 손가락으로 가리키며
'저기'하고 외치고, 다시 원의 중심에 들어가서 그 밑을 손가락으로 가리키며 '여기'라고
외친 후, 원 밖으로 나가 등을 돌리고 서서 어깨 뒤로 손을 원 쪽으로 향해 가리키며
'거기'라고 외치면서 이러한 행위를 반복하다가 백묵 선을 밟으면서 원을 따라
'어디어디'를 외치며 사라지는 이벤트이다.

이 작품은 장소란 무엇인지, 장소와 신체의 관계는 어떠한 것인지 대해 물음을 던지는

20
장자 지음, 김학주 옮김, 『장자(莊子)』,
연암서가, 2010, p. 69.

21
언어놀이에 대해서는 루트비히 비트겐슈타인
지음, 이영철 옮김, 『철학적 탐구』,
책세상, 2006, pp. 36-37 참조.

22
노양진, 『몸, 언어, 철학』, 서광사,
2009, pp. 305-306.

23
루트비히 비트겐슈타인 지음,
『철학적 탐구』, p. 70.

24
2014년 5월 1일, 이건용과의 대담.

작업이라 할 수 있다. 작가가 이해하는 장소 개념은 '원을 그린다'라고 하는 신체 행위에 의해 비로소 드러나는 것이며, 신체가 그 장소에 대해 발화함으로써 진정으로 시작하는 것이다. 또한 신체가 그 장소와 관계 맺는 방식과 장소에 놓이는 신체의 '문맥'에 따라 동일한 장소라 할지라도 저기, 여기, 거기라는 이질적인 사건들로 다르게 인지될 수 있다.

이 이벤트의 직접적인 시원은 작가가 여러 차례 인용하고 있듯이 장자의 제물론(齊物論) 중 도추(道樞) 개념에 있다. '제물'이란 모든 사물을 똑같이 본다는 뜻으로, 세상의 일반적인 가치관을 초월하여 높은 경지에서 볼 때 모든 사물은 한결같이 보인다는 것이다. 여기서 '도추'란 저것과 이것이라는 구분된 개념이 없는 것으로, 이것은 다른 쪽에서 보면 저것이고, 저것은 그쪽에서 보면 이것인데, 저것이 되지 않는 것이 없고 이것이 되지 않는 것도 없는 것이다.[20] 즉 옳음과 그름, 가한 것과 가하지 않은 것, 크고 작은 것 등은 모두 본질과 상관없는 상대적인 것으로, 상대적인 것을 초월할 때 진실을 파악할 수 있다는 것이 도추의 골자이다.

결국 〈장소의 논리〉는 동일한 장소가 그 곳에 직면한 주체와의 관계에 따라 그 개념이 변화함을 보여 주는데, 이러한 이 작업의 상대주의적 관점은 동시에 비트겐슈타인의 후기 논리 철학의 주된 논지이기도 하다. 후기 철학을 대변하는 『철학적 탐구』에서 비트겐슈타인은 언어놀이(language game)[21]라는 은유를 통해 언어의 의미는 객관적 세계에 의해 고정된 방식으로 주어지는 것이 아니라 그 언어를 사용하는 사람의 실제 사용과 여러 언어적 상황에 따라 상대적으로 다르게 주어진다고 주장한다. 즉 비트겐슈타인은 언어(놀이)가 변하면 개념들이 변화하며, 또 개념들과 더불어 낱말들의 의미들도 변화한다고 말하면서[22] 언어분석적인 논리적 명증에서 나아가 언어적 상황과 활용에 따라 언어들이 상대적으로 다르게 변화하고 인식될 수 있다는 상대주의적 태도를 견지하였다. 그가 '생각하지 말고, 보라'[23]라고 당부하며 논리 안에 닫힌 세계가 아닌 다양한 삶의 지층들을 바라볼 것을 권유한 것은 바로 이러한 맥락에서이다.

이건용은 『논리-철학 논고』에서 『철학적 탐구』로 이행하는 비트겐슈타인의 관점에 공감을 표시하면서 그의 로지컬 이벤트가 논리 안에 닫힌 세계가 아닌 삶의 여러 층위와 연결되어 있음을 밝힌 바 있다.[24] 이건용의 1970년대 후반 이벤트는 행위를 논리적으로 되묻는 사건에서 삶의 다양한 은유들이 좀 더 두드러진다. 대표적인 작품이 바로 〈이어진 삶〉(1978년 추정, 작가노트)이다. 이 작품은 이건용이 옷 주머니에 가지고 있는 소지품을 하나씩 꺼내는 것으로 시작하는데, 옷 안의 모든 소지품을 바닥에 하나씩 일직선으로 나열한 후, 입고 있던 옷가지를 하나씩 벗어 그 뒤에 계속적으로 이어놓고 마지막으로 그 끝에 반듯하게 누워 작가의 신체를 연결시킨 작업이다. 이 이벤트는 온갖 사물과 사건으로 점철된 삶의 연속성을 말해주기도, 또한 결국은 모든 것을 비우고 빈 몸으로 돌아가는 인간사의 어쩔 수 없는 필멸성과 공허함을 드러내주기도 한다.

25
이 작품은 동남아 호주의 민속을 소개하는 잡지
『헤미스피어(Hemisphere)』 표지에 실린
바닷가 모래밭에 자국을 남기며 기어가는
거미의 사진에서 착안하였다. 성능경,
『캔버스여 흔들려라』 『가나아트』 1996. 5. p. 47.
이 작품은 또한 2005년 포천 아시아미술제에서도
선보였는데 여기서는 매우 빠른 정보사회
시스템과 느린 생명의 호흡을 대비시켰다.
이건용, 2005년 포천 아시아미술제 작가
발언자료 참조.

26
Liz Kotz "Post-Cagean Aesthetics and
the 'Event' Score", *October*, Vol. 95
(Winter, 2001), p. 56.

27
Julia Robinson, "From Abstraction to
Model: George Brecht's Events and the
Conceptual Turn in Art of the 1960s",
October (Winter, 2009), No.127, p. 77.

28
「백남준씨의 전위예술, 음악과 미술의 결합」
(서울신문, 1966. 2. 3), 「性音樂으로 돌풍
일으킨 백남준 그의 예술」 (조선일보, 1967.
3. 16), 「전위음악가 백남준씨 또 하나의
괴상망측」 (서울신문, 1969. 5. 31), 김미경,
앞의 논문. pp. 92-93에서 재인용.

29
강태희, 「1970년대의 행위미술 이벤트-
ST 멤버의 작품을 중심으로」 『현대미술사연구』
제13집, 2001. p. 30. 강태희는 위 논문에서
이건용의 이벤트와 플럭서스의 이벤트 및 일본
전위미술의 이벤트를 비교하였다.
당시 『美術手帖』을 통해 일본현대미술이 국내
소개되고 있었고 이우환이 1969년 7월
『空間誌에 「일본현대미술의 동향」이라는 글을 기
고하였던 바, 이건용은 김구림과의 대화
이전에도 일본의 행위미술에 대해 알고 있었을
것으로 보인다.

〈이어진 삶〉과 함께 1979년 상파울루 비엔날레에서 선보인 〈달팽이 걸음〉은
긋는다는 신체 드로잉 행위에 생태학적 삶에 대한 관심을 개입시킨 작업이다.[25] 작가는
전시장 한 곳에 쪼그리고 앉아 백묵으로 바닥에 빠르게 좌우로 선을 그으면서 앞으로
20미터 가량 나아가는데, 조금씩 앞으로 진행하는 발걸음에 따라 바닥에 그어진 선들이
동시에 지워지면서 걸음의 흔적을 남기는 작업이다. 쓰면서 동시에 지워진다는 것,
즉 하나의 신체 안에서 긋는 것과 지우는 것, 채움과 비움이 동시에 일어나는 것이다.
몸이 빠져나간 자리에 주체의 흔적이 드러나는 이러한 양가적인 현상은 〈이어진 삶〉처럼
생과 사, 현존과 부재, 빠름과 느림, 음과 양이 동시에 뒤섞인 인생의 여정과도 같다.

행위에 논리를 개입시키면서도 삶의 지평과 신체가 거한 세계에 대한 철학적 사유를
가능하게 하는 것은 이건용의 이벤트가 1960-70년대 서구의 해프닝 혹은 플럭서스나
당대 일본의 행위미술과 분명히 차별되는 특이점이다. 이건용의 '이벤트'는 그 명칭으로
만 본다면 플럭서스(Fluxus) 이벤트(Event)와의 연관성을 유추하게 한다.
이벤트라는 단어의 명명자는 플럭서스의 멤버인 조지 브레히트(George Brecht)인데,
그는 1959년에서 1962년 사이 이벤트 스코어(event score)라 불리는 행위미술을
발전시켰고 1960년대에 이를 활발히 진행시켰다. 1959년 존 케이지의
실험작곡수업에서 발전한 이벤트 스코어는 짧은 지시문으로 하나 혹은 그 이상의
행위를 제안하는 작품이었다.[26] 브레히트 이벤트의 최초의 예는 〈Drip Music
(Drip Event)〉(1959-62)로, 하나의 통에서 다른 통으로 물을 붓는 단순한 행위에서
나오는 청각적인 감각 효과에 관객들을 집중시키는 작업이었다.[27]

1960년대 중반, 앨런 캐프로의 해프닝을 비롯하여 플럭서스의 멤버였던 백남준의
행위미술이 국내에 이미 보도되었고, 1970년에는 백남준이 기획한 〈피아노 위의 정사〉
가 정찬승과 차명회에 의해 제1회 〈서울 국제 현대음악제〉(서울 국립극장)에서
시연되었던 점 등으로 미루어 볼때[28] 서구의 행위미술이 당시 국내에 어느 정도 알려져
있었다고 볼 수 있다. 그러나 플럭서스 이벤트의 개념 및 구체적인 작업 등에 대해서는
당시 국내 미술계에 본격적으로 알려지지는 않은 것으로 보인다.

국내 이벤트와의 연관성에서 보다 더 가깝게 접근할 수 있는 것은 일본의 전위적인
행위미술이다. 이건용은 당시 일본의 이벤트를 잘 알고 있었고, 1973년 이후 일본으로
건너가 활동하면서 당시 일본미술경향에 밝았던 김구림과의 대화를 통해 수가 키시오
(菅木志雄)의 이벤트에 대한 이야기를 들은 것이 로지컬 이벤트를 행하게 된 직접적인
계기가 되었다고 밝힌 바 있다.[29] 1950-60년대 일본에서는 구타이(1954-1965),
요미우리 앙데팡당(1949-1963), 하이레드 센터(1962-1966), 네오 다다 오거나이저
(1959-1963) 등 전위예술그룹에 의해 해프닝과 이벤트 등의 반예술적 행위미술이
진행되었는데, 이중 이벤트와 직접적으로 연관되는 전위예술그룹은 '하이레드 센터'

30
아카세가와 겐페이 지음, 김미경 옮김,
『일본의 실험미술』 시공사, 2001,
pp.133-151, pp.171-199.

31
Julia Robinson. 앞의 글. p. 77.

32
강태희는 ST 이벤트와 이우환의 관계를
언급하였다. 강태희, 앞의 글, pp. 25-28.

33
이우환의 『만남의 현상학 서설』은 1971년
『AG』 4호에 처음 소개되었으나 필자는 최근의
번역본을 참고하였다. 이우환 지음, 김혜신 옮김,
『만남의 현상학 서설』 『만남을 찾아서』 학고재,
2011, p. 216, 228.

34
2000년 2월 26일 김미경의 이건용 인터뷰,
김미경, 앞의 논문. p. 130, 주204 참조.

35
이건용, 앞의 글, 『문화회고 시스템 위에 세워진
자서전적 궤적』 p. 78.

이다. 도쿄 플럭서스와도 관련 있는 하이레드 센터의 이벤트는 집단적이고 연극적이며 관객참여적인 요소들이 많은 장소 특정적 행위미술이었다. 예로, 플럭서스 멤버였던 오노 요코와 백남준 등이 참여하였던 〈제국호텔의 육체〉(1964)는 제국호텔 340호실에 머물면서 방문객의 머리폭, 몸무게, 키 등의 신체를 측정하거나 신체를 촬영하면서 공간과 신체의 관계에 물음을 던진 작업이었고, 〈오차노미즈의 낙하〉나 '클리닝 이벤트'라 불렸던 〈긴자의 걸레〉 등은 도시 옥상이나 거리 외부공간에서 여러 오브제를 던지거나 청소하는 이벤트였다.[30]

서구 플럭서스나 일본 전위미술가들의 이벤트가 로지컬 이벤트의 용어와 개념을 창안하는데 하나의 참조점이 되었다 하더라도 작업의 내용과 지향점에서 그 변별성은 확연하다. 플럭서스의 이벤트가 일상적인 지각경험에 관객들을 집중하게 하면서 일상 행위를 예술적 사건으로 변이시키는 것에 주목하였다면,[31] 이건용의 로지컬 이벤트는 일상을 예술로 변용하는 것 자체보다는 일상행위를 사건화 시키고 사건을 논리로 되물음으로써 신체를 통한 세계와의 만남을 의도한 것이었다. 또한 일본 전위미술가들의 이벤트가 연극성이 두드러진 집단적이고 참여적인 행위미술이었다면, 이건용의 이벤트의 지향점은 과잉보다는 절제된 행위에, 우연성 보다는 계획된 논리에, 신체의 감각보다는 신체를 통한 세계의 지각에 있었다.

로지컬 이벤트가 신체를 일상의 지각경험이나 감각의 층위에서 바라보지 않고 삶과 세계를 지각하는 매개항으로 바라보는 태도는 서구 플럭서스나 일본의 행위미술과의 변별성을 확언할 수 있는 지점이다. 이는 동시에 이우환과의 관련성을 논할 수 있는 지점이기도 하다.[32] 이건용을 비롯하여 AG와 ST 작가들이 중요하게 탐독하였던 「만남의 현상학 서설」에서 이우환은 자신의 신체론을 피력한 바 있다. 그에 따르면 인간이 직접적인 세계에 구체적으로 존재하기 위해서는 스스로 다의적인 매개항, 즉 표현적인 신체적 존재여야 한다. 신체의 매개성에 의해 세계는 경험의 장소가 되며 그 지각의 자각성을 통해 인간은 열린 세계와 만나게 되는 것이다.[33] 즉 이우환에게 있어 신체는 세계와 만나게 되는 중요한 매개인데 이는 이건용이 로지컬 이벤트에서 '세계와 만나는 가장 본질적이고 중요한 역할은 신체이다'라고 역설한 것과 유사한 맥락이다.

이건용의 설치 작품 〈신체항-71〉은 이우환에 의해 한국에서 선정되어 1973년 파리 비엔날레에 출품되었고, 이건용 역시 이 작품이 1971년 파리 비엔날레에서 주목받은 이우환의 〈관계항〉의 의미와도 상통한다고 언급한 바 있다.[34] 또한 이건용은 1971년 국립현대미술관에 전시된 〈신체항-71〉에 대해 "언어로부터 사물 자체의 신체를 떼어내어 '신체 자체'가 매개항이 되는 '세계자체'를 열어 현전시키는 장소를 실현하였다"고 언급하였고,[35] 자신의 이벤트 역시 〈신체항〉과 같은 입체적 구조물과

36
이건용, 「한국의 입체·행위미술 그 자료적
보고서」 p. 18.

37
이우환, 앞의 글, pp. 239-240.

상당히 연관되며 세계에 대해 어떻게 지각할 것인가라는 문제 속에 포함된다고
언급하였는데[36] 이는 메를로 퐁티의 신체 현상학과 더불어 이우환의 영향이 감지되는
대목이라 할 수 있다.

이우환은 잘 알려져 있다시피 하이데거와 메를로 퐁티와 같은 서양 철학자와
니시타 키타로의 철학사상을 바탕으로 정신과 물질을 이원화하는 서구의 근대사상을
비판하고 재현을 통해 세계를 대상화하는 대신, 사물을 있는 그대로 바라보고 그것을
매개로 하는 존재의 드러남과 관계에 주목한 작가이다. 모노하의 이론적 토대로서
물과 물 사이의 '만남과 구조'를 통해 세계와의 직접적인 만남을 추구한 이우환의 이론은
비트겐슈타인, 메를로 퐁티, 노장사상 등에서 작업의 이론적 지반을 마련해 왔던
이건용의 예술론에 영향을 주었을 것이다. 무를 매개해 장소를 드러내고 그 안에 자기의
대상성을 녹여 놓으면서 자기의 유를 열린 세계에 해방시키는 다의적 매개항으로서의
신체[37]는 이건용이 〈신체항〉을 비롯한 입체작업과 로지컬 이벤트에서 궁극적으로
다다르고자 하는 신체 개념이기도 하다.

보지 않고 긋는다 _ 그리기의 방식을 되묻는 '신체 드로잉'

이건용은 1976년 ST 5회 전시에서 그의 대표적인 이벤트인 '신체 드로잉'을 발표한다.
몸으로 그리는 드로잉으로서, 신체적 '행위'와 회화적인 '그리기'를 결합하여 신체가
할 수 있는 행위의 제한된 범위를 드로잉으로 표상한 이건용의 대표작이다.
〈뒤에서〉, 〈화면을 뒤에 놓고〉, 〈화면을 옆에 놓고〉, 〈부목을 풀면서〉,
〈다리 사이로 선긋기〉, 〈양팔로〉, 〈어깨를 축으로〉 등 신체의 반복적인 궤적을 기록한
드로잉인데, 행위 후 회화작품으로 남는다는 점에서 일회성을 내재화하고 있는 여타
다른 이벤트와 차별을 이룬다.

〈뒤에서〉는 '신체 드로잉' 시리즈 중 대표작으로, 베니어판이라는 신체를 둘러싸는
조건과 신체의 관계를 드로잉이라는 그리기 행위로 보여준다. 우선 베니어판을 몸 뒤에
세워놓고 팔이 허용하는 범위 내에서 선을 그은 뒤 그 선에 맞추어 베니어판을
잘라낸다. 잘라진 베니어 판 뒤에서 손을 앞으로 최대한 넘겨 베니어 판 앞면에
드로잉을 해 간다. 앞면에 그려진 최대한의 폭 만큼 베니어판을 잘라가며 그리기를
반복해나가고, 베니어판이 점점 작아질수록 그리기 위해 움직이는 신체(허리)의 각도도
넓어진다. 마지막에는 잘라낸 베니어판들을 이어 전시한다. 〈화면을 뒤에 놓고〉는
베니어판에 등을 대고 뒤로 드로잉 하는 작업이다. 오른팔을 최대한 뻗어 위 아래로
선을 반복적으로 그어나가는 과정에서 화면은 작가의 신체 실루엣만 남겨둔 채
오른손의 빠른 행위의 결과물인 선의 궤적들로 채워진다. 〈화면을 옆에 놓고〉는 오른쪽
어깨를 화면에 붙이고 왼손으로 반원을 반복해서 그리고, 역으로 같은 행위를 반복하면
서 반원을 그려 하트 모양을 만드는 것이고, 〈부목을 풀면서〉는 손목과 팔목 등

38
이건용, 「世界와 人間을 전체적으로 이해하는
방법으로서의 드로잉」, 『畵廊』, 1979년 겨울
(No. 26), pp. 80-81.

39
이건용, 위의 글, pp. 80-81.

40
2014년 5월 1일, 이건용과의 대담.

팔 마디에 부목을 한 후 단계적으로 풀어가면서 책상 위에 놓인 화면에 선을 긋는
작업이다. 여기서 손목 깁스를 풀었을 때와 팔목 깁스를 풀었을 때의 신체의 구속과
자유로운 상태에 따라 서로 다른 길이의 직선들이 둥글게 그려진다. 〈다리 사이로
선긋기〉는 종이를 바닥에 깔고 다리를 벌린 후 그 사이로 직선을 긋는 작업인데, 선을
긋는 동안 '나는 곧은 선을 그을거야'라고 반복적으로 외치지만 언어적 외침과는
달리 신체 구조상 선은 좌우에서 휘어지는 작업이다.

이건용의 신체 드로잉에서 화면은 대상을 표상하는 공간이라기보다는 행위하는
장소로 나타난다. 이를 해롤드 로젠버그 식으로 말하자면, 캔버스 위에 일어나는 것은
그림이 아니라 하나의 '사건(event)'이 된다. 즉 신체 드로잉은 재현의 공간이 아니라
행위자의 신체 리듬과 에너지, 움직임을 담아내는 장소이기 때문이다. 그러나 이건용의
신체 드로잉은 잭슨 폴록의 회화처럼 자유롭고 역동적인 신체 움직임과 몸짓의 흔적들로
작가의 예술적 실존을 주장하지 않는다. 오히려 '그리는 신체'를 제한함으로써 '그리기의
본질적인 면을 역으로 증명'해주는 것이다. 이는 〈건빵 먹기〉에서 먹기라는 신체 행위를
논리적으로 제한함으로써 먹기를 사건의 차원에서 다시 바라보게 하는 것과 같다.
다시 말해 이건용의 신체 드로잉은 그 원래 제목이 '드로잉의 방법 (The Method of
Drawing)'이었듯이, 그리기라는 근본적인 행위에 대한 물음에서 출발하는 것이다.
신체 드로잉은 이제까지 그린다는 것에 대한 미술의 역사와 그 의미를 근본적으로
의심해보는 것이라는 점에서,[38] 반복적인 논리-행위를 통해 세계에 대한 지속적인
물음과 사유를 지향하는 또 하나의 '로지컬 이벤트'인 것이다.

대상을 표상하는 것에서 물러나 신체의 반복적인 행위의 결과가 곧 회화가 된다는
점에서 이건용의 신체 드로잉은 박서보의 '묘법'이나 이우환의 점과 선의 회화와
유비되기도 한다. 하지만 그들의 회화에서 무한히 긋고 찍고 지우고 그리는 반복적
행위가 어떤 수련과 극기의 행위를 내면화하는데 반해, 이건용의 신체 드로잉은 그리기
자체의 자기 동일적인 문제에 연루되어 있다는 점에서 구별된다. 즉 그의 신체 드로잉은
인간의 손이 무언가를 그리고 있다는 것을 보여주는 것이 아니라 행위, 신체, 의식,
신체의 작용과 구조 등 그리기 위해 요구되는 인간의 모든 활동과 시간, 공간,
재료 흔적 등 그려진 것 사이의 관계를 동시적으로 보여주기 위한 것이다.[39]

더 나아가 이건용의 신체 드로잉은 보지 않고 긋는다는 것, 시각을 배제한 긋기라는
점에서 박서보와 이우환의 회화를 넘어서는 지점이 있다. 넘겨서 긋거나 앞을 보지 않고
뒤에서 혹은 옆에서 긋는 이러한 시각을 배제한 긋기는 그리기에서 생각과 의식의
조작을 거부하고 몸의 지각만을 허용하는 의도적인 그리기 방식이다. 보이지 않을 때,
더 의식하지 않을 때, 제한된 의식을 벗어날 때, 비로소 전 우주와 자기를 둘러싼
세계와의 관계도 이루어진다는 것이 작가의 생각이다.[40] 그리고 이것이 바로 그리기의

본질을 되물음으로써 세계와 인간을 전체적으로 이해하는 이건용만의 '방법으로서의 드로잉'이기도 하다.

이건용은 1970년대 로지컬 이벤트를 통해 그야말로 한국행위미술사에서 중요한 '사건'을 만들었다. 그의 작업이 최근 조명을 받는 것은 한국현대미술계에서의 퍼포먼스에 대한 새로운 부상과도 무관하지 않을 것이다. 한정된 공간에서 작가의 신체만으로 이루어진, 어찌 보면 소박한 이건용의 로지컬 이벤트는 여러 미디어 장치들과 사운드와 접합하며 감각적 충격을 던져주는 최근의 퍼포먼스에 던져주는 중요한 시사점이 있다. 그것은 신체란 물질도 감각도 아닌 세계와 연결된 매개항이며, 신체 행위는 언어와도 같이 철학적 사유의 출발이 될 수 있다는 것이다. 1970년대 이건용의 로지컬 이벤트에서 신체에 대한 이러한 지향점을 발견할 수 있는 것은 한국현대미술사에서 놀랍고도 고마운 일이 아닐 수 없다.

Lee Kun-Yong's "Logical Events" of the 1970s

Bae Myungji
Chief Curator, Coreana Museum of Art

Since the mid-2000s, the interest in performance art has exploded at the domestic and international level. Today, no one visiting any major museum in the world would be surprised to encounter a performance in progress. In fact, many of the world's most famous museums now offer a regular program of performances, either in conjunction with or independent of their exhibitions. Numerous world festivals—such as "Performa" in New York and "Festival Bo:m" in Seoul—present an array of performances combining art, music, dance, and theater, which are staged in museums, theaters, other indoor spaces, or even in the streets. Notably, the Golden Lion for best artist at the 2013 Venice Biennale was awarded to Tino Sehgal for his performance piece.

So how are we to interpret the glorious resurrection of performance art? The recent interest in performance has a different starting point and trajectory than the interest in physical performance that arose in the late twentieth century. In that period, in performances that integrated life and art, artists primarily sought to reconsider the materiality of the body in an attempt to break down the concept of "cogito" based on the binary opposition of mind and body. However, such gestures cannot be validly compared to today's performances, which typically go beyond the interest in the body itself. As the realization of intensive thought and deliberation, contemporary performances simultaneously signify both material and mind. The recent interest uses performance to ignite philosophical thought, based on the consensus that people can meet and contact the world through physical acts.

This brief introduction to the contemporary perspective on performance art provides a useful background for approaching the 1970s performance art of Lee Kun-Yong. Lee is a singular figure in the history of Korean contemporary art, who has now been conducting his unique brand of performance art for more than forty years. In particular, starting in 1975, Lee began presenting inventive and highly calculated performances that he called "logical events." He has always viewed performance art as a way to demonstrate the body's imperative and fundamental function in allowing us to meet with the world. His "logical events" are particularly crucial as revisions of the current perspective on performance art, which views performance as an act of thought enacted through the body.

Lee Kun-Yong's "Logical Events" and Korean Contemporary Art of the 1970s
In 1975, for the *Today's Method* exhibition at Baek-Rok Gallery, Lee Kun-Yong conducted his first two major performance artworks. Those pieces are known as *Indoor Measurement* and *Same Area*, and they were initially presented under the

title of *Events-This Life*. For each of these performances, Lee set out to "measure" the length and size of the given space by a very logical and calculated method. *Indoor Measurement* consisted of Lee's prolonged attempt to use a tape to measure the exhibition space, which was shaped like an irregular pentagon. First, he attempted to measure the eight-meter diagonal of the space, only to discover that his tape was just seven meters long. Instead, he started measuring the five sides of the space, in order of longest to shortest. With each successive measurement, he cut away the excess tape, leaving him with five extra pieces that he then re-connected across the diagonal of the space.

For *Same Area*, Lee took a different strategy that involved measuring the floor of the exhibition space with pieces of Korean traditional rice paper, which he traced on the ground before ripping to shreds. From his pocket, he removed a rectangular piece of folded paper, which he then unfolded to its full size of about 1 m2. Next, he placed the paper on the ground in one corner of the space and traced it with white chalk, making a box. Then he tore up the paper and scattered the torn pieces around the space, everywhere except for within the chalk-lined box. Finally, he swept the scattered pieces of paper into the empty box. Through a series of logical events—such as unfolding, tracing, and tearing the paper—Lee forces us to consider whether the chalk box on the ground and the rest of the exhibition space might somehow be equivalent in size. In developing his performances around highly logical forms of measurement and unconventional comparisons of size, he demonstrates the close relationships among space, objects, and the body.

Lee Kun-Yong's performances never rely on spontaneous or accidental events; instead, they are marked by meticulous planning and the execution of logical methods. Indeed, from the beginning, Lee has referred to these works as either "logical events" or "events logical," thus highlighting "logic" and "event" as core concepts of his "actions." Notably, Lee has often cited the philosophy of Ludwig Wittgenstein as a key source and starting point for his performances. Wittgenstein claimed that logic could serve as a mirror-image for gaining insight into the world, asserting that true understanding of life could come from using logic to probe language and separate it from the material world. Likewise, Lee believes that, by separating actions from their perceived purpose and analyzing them through logic, we can transform objects and people's issues into events, thus yielding a deeper awareness and understanding of the world.

As indicated in Lee's early work notes, all of his acts are meant to question how we

01
Lee Kun-Yong, "A Report about the
Objecthood and the Gestual Art in
Korean Contemporary Art,"
Space June 1980:18.

02
Group discussion among Kim Yongmin,
Sung Neungkyung, Lee Kun-Yong,
and Kim Bokyoung, "Unification of Field
and Activity: A Logical Event,"
Space August 1976, 42-46.

03
Kim Mikyung, "The Experimental Art
and Society in 1960-70s Korea:
The Artists beyond Boundary,"
(PhD diss., Ewha Womans University,
1999), 79-96.

04
Group discussion, Ibid., 42-46.

perceive the world.[01] His central tenet is that the world consists of events, which are acts devoid of subjectivity, and that transforming an ordinary (i.e., subjective) act into an event allows us to discern its more fundamental objective logic.[02] As such, the logic that Lee is concerned with is not human logic, but a neutral, universal logic wherein space, objects, and people are fully considered and interrelated. He further contends that such neutral logic reveals an act's true significance and existence in the world, thus liberating the act from our fixated definitions by triggering the relational perception of the world and the person. The aim of his "logical events" is not simply to transform acts of daily life into works of art, nor to highlight the materiality of the body in opposition to the mind. Instead, he wishes to encounter the world through the body. Such encounters are made possible through acts mediated by neutral logic, or more precisely, by the meaning that emerges from such mediated acts.

This emphasis on neutral logic sets Lee's "logical events" apart from other varieties of performance art that were popular among experimental Korean art groups in the late 1960s and early 1970s. That is, his works are distinct from theatrical performance art focusing on collective or spontaneous situations, such as *A Plastic Umbrella and Candlelight*, which was the opening performance of the 1967 *exhibition of the Union Exhibition of Korean Young Artist Groups*, or the performances of the Shinjun Group (an art collective that included Kang Kukjin, Jung Chanseung, and Jung Kangja), such as *Flower Cards Game* (1968) and *The Transparent Balloons and Nude* (1968). Furthermore, Lee's "logical events" can be even more clearly distinguished from the culturally critical or anti-establishment performance pieces presented by The Fourth Group in the 1970s, including *Funeral of Pseudo-Culture* and *Murder at Han Riverside*.[03] Lee Kun-Yong called all of the above performances "happenings," which rely on accidental and impromptu occurrences, depending on a given situation. Accordingly, he differentiated them from his "logical events," which were carried out through planning and logic.[04]

From an artistic perspective, it is not surprising that Lee, an intellectual with a deep interest in philosophy and logic, wished to confirm the uniqueness of his performance art by separating his events from the happenings. But from a wider context, his desire to differentiate himself from those groups was also motivated by the social and political circumstances of the time. In Korea, under the Yushin Regime of the 1970s, happenings by performance artists were easily stigmatized as anti-governmental activities. As such, performance artists—including

05
Kim, Ibid., 115-116, and 131.

Lee Kun-Yong himself—were often detained and interrogated by police or federal agents, and some performance art groups were simply disbanded.[05] As such, Lee's emphasis on the internal logic and concept of his art may simply have been his strategy for distinguishing it from overt social commentary and thus ensuring that he could continue to function as an artist. In that way, his work may be seen as art of non-social engagement.

Between 1975 and 1980, Lee Kun-Yong presented about fifty events, including all of his most significant "logical events." This was a time of great oppression and turmoil in Korea, as the entire society was unsettled by a ruthless anti-communist movement, various social controls, constant protests, incidents of self-immolation, and the assassination of both the president and first lady. At the same time, of course, the country's remarkable industrialization and economic rehabilitation kicked into high gear with the Five-Year Plans and the New Community Movement. In the field of art, various artists, groups, and movements began experimenting with ways to break away from conventional two-dimensional painting. Starting around 1965, the fever for Art Informel began to dissipate, creating a gap in the aesthetic mainstream that would not be completely filled until the mid-1970s, with the emergence of the Korean Monochrome movement. During this ten-year span, various art groups freely experimented with happenings, events, installations, and *objets* in an effort to break away from two-dimensional painting. As exemplified by Lee's "logical events" and his representative work *Corporal Term*, there was a particular emphasis on "three-dimensionality" and "performance." This drive for experimentalism and the avant-garde was led by the above-mentioned groups (The Union of Korean Young Artist Groups, Shinjun Group, Moo Group, and The Fourth Group), along with two other notable groups: AG and ST.

Lee Kun-Yong actively participated in AG (1969-1975), and then became one of the founders of ST (1971-1981). Both groups were very serious art collectives, consisting of critics and artists who were dedicated to introducing and exploring new Western art trends and theories through discussions, seminars, journal publications, and, of course, exhibitions. The works of ST were characterized by a deep interest in materials and space through three-dimensionality and the use of *objets*, with a strong focus on logic through temporality, spatiality, and acts. Not coincidentally, these were also the dominant themes of Lee, the group's leader. Driven by Lee's guidance, energy, and insight, ST presented a total of eight exhibitions, featuring "events" that may now be regarded as landmarks in the history of Korean performance art and contemporary art.

The ST group based its principles on two main literary sources: "Art after Philosophy" by the conceptual artist Joseph Kosuth, and an article entitled "A Phenomenological Introduction to Encounter" by Lee Ufan. In particular, Kosuth proposed that the essence of art could be found in its thought system, as revealed through linguistic explorations related to the art. In this theory, Lee found a clear answer to his protracted questions about the essence of art. He also embraced the ideals of Lee Ufan's Mono-ha theory, which were in turn based upon elements of Taoism and Maurice Merleau-Ponty's emphasis on the body-subject. Incorporating and adapting all of these concepts, Lee Kun-Yong realized that it was possible to consider existence—without objectification—through various media, and moreover, that it was the medium of the body through which people could directly relate to the world. Thus, based on his long-term interest in the analytic philosophy of Wittgenstein and the phenomenology of Merleau-Ponty, and integrating the theories of Kosuth and Lee Ufan, Lee Kun-Yong initiated his own philosophical thinking of logic, proposition, concept, event, space, body, and the world. Following this avenue of thought eventually led him to his "logical events."

"Logical Events" : Performances with the Addition of Logic

In the fourth *ST exhibition* in October 1975, Lee Kun-Yong presented five events: *The Biscuit Eating; Drawing Lines (Five Steps); Ten Round-trips (Tape Recorder and Running); Round Trip of Two People (Five Encounters) ;* and *Age Counting (Tape Recorder and Age Counting).* For *The Biscuit Eating*, Lee attempted to eat hardtack (a cracker or hard biscuit) using the right hand. The catch was that the person's right arm was progressively restrained by the application of a splint to the wrist, elbow, upper arm, and back (respectively). Using an external force to restrict the movement of the hand enhanced people's awareness of the body movements associated with the simple act of eating. *For Drawing Lines (Five Steps)*, Lee began at one side of a room, then took five steps forward and marked his location with a line of white chalk. He then returned to his starting point, again took five steps, and again marked his slightly different location with the chalk. Although he simply repeated the same action over and over again, he had different results each time, as demonstrated by the accumulation of crisscrossed lines on the ground. *For Ten Round-trips (Tape Recorder and Running)*, Lee set up a tape recorder, then ran for about five or six meters and returned to the recorder. Upon finishing, he recorded himself saying, "first round," and then ran again. The next time, he recorded himself saying "second round," and so forth, until he had done it ten times. Next, he played the whole recording (i.e., "first round," "second round"…."tenth round"), running another round while it played. Upon returning, he said "first round" at the same

06
Bak Yongsuk, "Mr. Lee's Event,"
Space October/November 1975: 80.

moment that the recording was saying "tenth round." For *Round Trip of Two People (Five Encounters)*, Lee and another performer faced one another from across a room and then walked towards each other. When they met in the middle, they stood briefly before returning to their original locations. They repeated this same action multiple times, but then suddenly, upon one of the meetings, Lee slapped the other performer's face. They returned to their spots as if nothing had happened and then met again in the middle, before disappearing into the audience. Finally, for *Age Counting (Tape Recorder and Age Counting)*, Lee played the recorded voice of someone counting. Lee counted along with the recording from 1 to 34 (his age at the time), but then he stopped counting, even though the recording continued counting further.

Later that year, on December 30, 1975 at Growrich Gallery, Lee presented six events for *Events of Three Artists*. A representative work from these six events is *Logic of Hands*, which involves transforming various hand gestures into an event by removing them from specific situations and applying logical analysis. *Logic of Hands* became a continuous series, moving from relatively simple gestures to functional or performative hand movements. For example, for *Events of Three Artists* at Growrich Gallery, Lee presented *Logic of Hands 4*. He started this performance by looking down at the ground and then covering his nose with his hands. He repeated this gesture, and then removed a handkerchief from his pocket and used it to cover his nose. Finally, he dropped the handkerchief on the ground. At first, the audience was led to believe that Lee was covering his nose because of some foul odor coming up from the ground, but this assumption was thwarted when he dropped the handkerchief on the ground. Thus, only with the completion of the performance did the audience realize that Lee's act of covering his nose with his hands was a pure gesture from the artist, rather than a reaction to an external cause.

Lee appropriates the most banal activities of daily life—eating, walking, counting, smelling—as the contents for his "logical-events." Notably, his events separate these familiar daily activities from their ostensible purpose: we eat because of hunger; we count in order to add; we walk for exercise. But at the same time, his events force the viewers to see the physical activities themselves with unfamiliar eyes. Through repetition, calculation, and logic, these acts that we perform almost unconsciously throughout the day suddenly become pure acts, in and of themselves. Removed from the context of function and daily life, the acts demand consideration through the intervention of the "logic of self-identification."[06] As such, it acquires greater significance as a "logical event." Thus, in order to become a "logical event," an act must be persistently repeated in a manner conducive to self-reference or

07
Interview with Lee Kun-Yong on May 1, 2014.

08
Lee interview, Ibid.

09
Lee interview, Ibid.

"self-identification." In other words, the hardtack must be repeatedly eaten despite the restriction of the body, the numbers must be counted continuously, and the same distance must be traversed over and over again.

Crucially, as the acts are reduced to their essence through logic and the absence of individual purpose, they simultaneously take on a new dimension of social meaning. In this regard, the fundamental purpose of Lee's events is to increase people's awareness of the world and each other. For example, the confinement of the body in *The Biscuit Eating* can easily be read as an analogy of the poverty and social oppression of Korea in the 1970s.[07] Lee's performance with the handkerchief also invokes the political climate under the Yushin Regime, which was known for closely monitoring people and sometimes ludicrously attaching political meaning to even the most trivial of actions.[08] In *Age Counting (Tape Recorder and Age Counting)*, through calculated acts of recording, replaying, and speaking, the chronological listing of numbers becomes an event that provokes the audience to consider the universal aspects of life, i.e., time, aging, and death.

For the sixth *ST exhibition* in October 1977, Lee presented an event entitled *Dispatch of Ice and Chalk*. To begin the performance, Lee placed a piece of ice on the exhibition floor. He then used a piece of chalk to repeatedly write "Ice and chalk, please respond…over! (in the parlance of radio communication)" on the floor all around the ice, until the chalk had been worn down to almost nothing. When he could no longer write with the chalk, he spoke the same sentence into a tape recorder, and played the recording again and again until the ice had completely melted. Thus, in the course of the event, one piece of ice and one piece of chalk were completely consumed or deteriorated. Just as ice and chalk form relationships with other materials by melting or disintegrating, language can be exhausted when we communicate with others. Thus, this event represents Lee's cogent attempt to conflate the usage of language with that of objects/things.[09] Again, this work reflects the influence of Wittgenstein, who strove to produce logical propositions about language and objects/things.

Wittgenstein explored the logic of language as a mirror-image of the world, thus providing the starting point for Lee Kun-Yong's attempts to perceive the world through logically analyzed acts or events. Wittgenstein's analytic philosophy primarily developed through the logicality of language. In his most famous work, *Tractatus Logico-Philosophicus*, Wittgenstein reveals the logic of the world through tautological expressions and utilizes logical proposition as a mirror-image capable of reflecting the world and everything in it. More concisely, Wittgenstein argued that language, if separated from facts (things) and analyzed objectively and logically, may be used as a model for illuminating the world in ways that transcend standard linguistic interpretation.

Wittgenstein's analytic philosophy provides a point of contact for Lee's own theory of the logical events, in which he argues that the world is essentially comprised of events, and that by removing the subjectivity from our actions, we may transform the actions into events that can help us understand the world. Just as Wittgenstein utilized a logical analysis of tautological expressions to explain the world, Lee used "logical events," removed from their context or general function, for the same purpose. Eventually, other members of the ST group voiced their complaints that Lee's events did not allow for the intervention of accidental elements. But with his strong artistic conviction, which may be traced back to his affinity for Wittgenstein, he has never given up on the "logical events."

The Body's Fundamental Function of Encountering the World

In his final *AG exhibition* on December 16, 1975, Lee Kun-Yong presented *Logic of Place*, which became one of his representative "logical events." For this performance, Lee suddenly appeared in the middle of the exhibition space. He drew a circle on the ground, stood outside the circle, pointed to the circle, and said "Over there." Then he stepped into the circle, pointed down at his feet, and said "Here." He next stepped out of circle and, with his back turned to the circle, pointed back over his shoulder to the circle, saying "There." He repeated these acts multiple times, and also walked on the outline of the circle, saying "Where, where." Finally, he disappeared just as suddenly as he had appeared at the beginning.

In this work, Lee is clearly questioning our notions of space, and particularly the relationship between space and the body. His own understanding of the concept of space is initially revealed by the physical act of drawing a circle, and then truly begins with the body speaking about the space. In the process, he reveals the countless ways in which the same space can be recognized and construed—"over there," "here," " there," etc—according to the relationship between the subject and the body, as well as the context of the body's location in space.

This event may be directly traced to the *daoshu* (the pivot of Dao), a concept from Zhuangzi's *Qiwulun (The Adjustment of Controversies)*, which Lee has frequently referenced. *Qiwulun* refers to the idea of making all things equal, based on the

10
Lee interview, Ibid.

theory that everything in our world should appear equal when viewed from a higher (i.e., transcendent) level. *Daoshu* seeks to abolish the division between "this" and "that," since "this" becomes "that" (and vice versa) when considered from another perspective. In other words, dichotomies such as right or wrong, good or bad, small or big, etc., are always relative, and thus irrelevant to the essence of things. The core of the concept of *daoshu* is that the truth can only be grasped by transcending such relative terms.

Logic of Place directly invokes a relative perspective in order to demonstrate how the same space changes according to the relationship of the subject(s) facing the space. This notion coincides with the primary thesis of Wittgenstein's later philosophy, as expounded in *Philosophical Investigations*. In that text, Wittgenstein introduces the "language-game analysis," claiming that the meaning of language is never fixed according to the objective world, but is instead relative, in that it always depends upon the circumstances of the user and the linguistic situation. Wittgenstein further explained that, as the language (i.e., the game) changes, the concepts and meaning also change. This intensely relativistic attitude evolved from Wittgenstein's earlier analysis of the logicality of language, though he now eschewed the closed world of logic by suggesting that the world could only be considered in various layers.

Mirroring Wittgenstein's own philosophical development, Lee Kun-Yong claimed that his "logical events" reflected the various layers of life, rather than being confined to the closed world of logic.[10] Accordingly, in the late 1970s, he presented events that manifested the endless variability of life, as exemplified by *Relay Life* (circa 1978). Lee began by removing items from his pockets one by one, and arranging them in a straight line on the ground. Then, he removed his clothes in the same manner, one at a time, and arranged them in a line. Finally, he himself lay down on the floor at the end of the line. This performance demonstrates how life's continuous flow emerges from the constant succession of objects and events. As such, Lee educes our inevitable mortality and the emptiness of human affairs, reminding us that all that we have gained or achieved will eventually be revoked, when we return to the earth with nothing.

Relay Life was again presented at the 1979 Bienal de São Paulo, along with an important new work entitled *Snail's Gallop*, which combined Lee's ecological interest in life with the physical act of drawing. Starting from one end of the exhibition space, Lee squatted down and quickly drew a horizontal line on the floor. While continuously squatting, he repeated this simple action over and over—slashing a chalk line on the ground and then shuffling across it—until he had traversed a distance of about 20 meters. In the process, Lee's feet dragged across the chalk lines, smearing and erasing them. The gradual effacement of his quickly drawn lines evinces the ongoing conflict between the breathless rapidity of our information-based social system and the slow but continual breath of the natural world. In this performance, as a single body simultaneously drawing and erasing, Lee embodies the concurrent actions of opposites, i.e., filling and emptying. In the space that a body has left, the traces of the subject are revealed. This ambivalent phenomenon can be equated with the same profound themes Lee hinted at in *Relay Life*: the endless flow of life and death, existence and absence, yin and yang.

Lee's "logical events" induced viewers to contemplate deep issues associated with the horizon of life and the body's encounter with the world. As such, despite their similar name, his works can be clearly differentiated from the "event scores" of the Western group Fluxus, as well as from contemporaneous Japanese performance art. George Brecht, a Fluxus member, first began using the word "event" in reference to some of the group's activities and performances. The concept of "event scores," which were concise written descriptions that suggested works to be performed, evolved from an "experimental composition course" by John Cage in 1959. Brecht and others developed the concept to the point that "event scores" became an integral part of the group's work in the 1960s. The first example of Brecht's events was a series called *Drip Music (Drip Event)* (1959-1962), wherein water was poured from one bucket to another to highlight the sensory effect of hearing.

The Korean media began to take note of performance art in the mid-1960s, with reports on Allan Kaprow's "happenings" and the activities of Fluxus member Nam June Paik. In 1970, at the first Seoul International Contemporary Music Festival, Jung Chanseung and Cha Myunghee performed *Sex on a Piano*, a piece designed by Nam June Paik, at the National Theater of Korea. Thus, there was some awareness of Western performance art in Korea at the time, but the full concepts and details of Fluxus events were still relatively unknown within the contemporaneous art field of Korea.

On the other hand, Korean performance artists shared much closer ties with the avant-garde performance art of Japan. Lee Kun-Yong was well aware of what was happening in the Japanese art world through Kim Kulim, who even worked in Japan for a few years after 1973. Lee acknowledged that his "logical events" were at least partially inspired by the events of Suga Kishio, which were reported to him

11
Kang Taehi, "1970's Performance Art Event: On ST Members' Works," *Journal of History of Modern Art* 13 (2001): 30.

12
Akasegawa Genpei, *Tokyo Mixer Keikaku (plan)*, trans. Kim Mikyung (Seoul: Sigongsa, 2001), 133- 151 and 171-199.

13
Julia Robinson, "From Abstraction to Model: George Brecht's Events and the Conceptual Turn in Art of the 1960s," *October* 127 (2009): 77.

14
Kang, Ibid., 25-28.

15
Lee Ufan, "A Phenomenological Introduction to Encounter," *In Search of Encounter*, trans. Kim Hyesin (Seoul: Hakgojae, 2011), 216 and 228.

by Kim.[11] In the 1950s and 60s, Japanese avant-garde art groups such as Yomiuri Independent (1949-1963), Gutai Art Association (1954-1965), Neo Dada (1959-1963), and High Red Center (1962-1966) conducted numerous happenings and events within the Japanese trend of "anti-art." In particular, the concept of the "event" may be traced most directly to High Red Center, a group related to Tokyo Fluxus. The events of High Red Center were site-specific performance art pieces that were highly collective and theatrical, typically involving audience participation. For *The Body of Imperial Hotel* (1964), for example, Ono Yoko and Nam June Paik, two of the main members of Fluxus, invited visitors to their room (#340) in the Imperial Hotel, where they measured peoples' height, weight, and head size, and also took photographs of them. This work was meant to explore the relationship between space and body. Other events such as *The Ochanomizu Drop* involved throwing various objects, while the "cleaning event" entitled *Rag of Ginza* consisted of cleaning a rooftop or street.[12]

Although the events of Fluxus or Japanese avant-garde artists may have served as one reference point for Lee's "logical event," his contents and goal can be clearly differentiated from those precursors. The Fluxus events were intended to transform everyday activities into artistic events, or else to force people to concentrate on everyday perceptive experiences.[13] In contrast, rather than appropriating daily activities in the name of art, Lee used logic to deconstruct such activities in order to emphasize the body's encounter with the world. On the other hand, the events of the Japanese avant-garde artists were primarily collective and participatory performance art with an emphasis on theatricality. Lee's events prioritized subdued performance rather than exaggeration, and calculated logic rather than coincidence. Perhaps most importantly, Lee's "logical events" view the body as the primary medium for perceiving the world, beyond the limits of our senses or daily experiences. This perspective clearly separates Lee from the performance art of either Fluxus or Japan.

Notably, however, Lee Kun-Yong's emphasis on the role of the body in encountering the world connects him with another Korean artist, Lee Ufan.[14] Lee Kun-Yong and other members of the groups AG and ST avidly read Lee Ufan's seminal article "A Phenomenological Introduction to Encounter," in which the author described his theory of body. According to Lee Ufan, in order to attain a concrete existence in the world, every person must seek to become a "polysemantic medium," which is an independent and fully expressive physical being. With the body as mediary, the world becomes the site of experiences, and people can openly encounter the world through the awareness of their cognition.[15] Thus, both Lee Ufan and Lee

16
Kim, Ibid., 130.

17
Lee Kun-Yong, "Autobiographical
Trajectory Left on the System of
Cultural Recollection," *Literary Mind*
August 1990: 78.

18
Lee Kun-Yong, "A Report about the
Objecthood and the Gestual Art in
Korean Contemporary Art," *Space* June
1980:18.

19
Lee Ufan, Ibid., 239-240.

Kun-Yong affirm the body's fundamental role as a medium for encountering the world. Importantly, Lee Kun-Yong's installation *Corporal Term-71* was selected by Lee Ufan to be submitted to the Biennale de Paris in 1973. Lee Kun-Yong stated that the meaning of *Corporal Term-71* is related to Lee Ufan's *Relatum*, which had received great attention at the Biennale de Paris in 1971.[16] When *Corporal Term-71* was exhibited at the National Museum of Modern and Contemporary Art in 1971, Lee Kun-Yong commented that the work realized the space of presence, in that "it separates the body of an object from language, thus opening 'the world itself,' with the 'body itself' serving as medium."[17] Further revealing the influence of Lee Ufan, Lee Kun-Yong noted that his events were closely related to three-dimensional structures like *Corporal Term*, and that they were concerned with the issue of how we perceive the world.[18]

Echoing the ideas of Western philosophers like Martin Heidegger and Maurice Merleau-Ponty, as well as the Japanese philosopher Nishida Kitaro, Lee Ufan criticized Western modern thought for its reliance on the binary opposition between mind and material. Instead of objectifying the world through representation, Lee Ufan is an artist who always looked at things as they are—in and of themselves— believing that things could be a medium for revealing existence and our relationship with existence. Lee Ufan's Mono-ha theory was based on the pursuit of a direct connection with the world through "encounter and structure," using the relationship among objects. As such, Lee Ufan was a major influence on the art theory of Lee Kun-Yong, along with Wittgenstein, Merleau-Ponty, Laozi, and Zhuangzi. According to Lee Ufan's concept of the body as a "polysemantic mediary," nothingness or emptiness can be used as a medium to reveal space. By infusing that space with our own attributes as an object, we can liberate our existence within the open world.[19] This idea directly presages the concept of body that Lee Kun-Yong was aiming at with his three-dimensional works like *Corporal Term* and his "logical events."

Drawing without Seeing : Body Drawing Inquires Into the Act of Drawing

At the fifth *ST exhibition* in 1976, Lee debuted his series *Body Drawing*, one of his representative events. In this series, Lee combined the artistic elements and physical actions of drawing, using drawing to demonstrate the limitations of our physical capabilities. This series includes works such as *Drawn from Behind, Drawn with the Artist's Back toward the Plywood, Drawn Standing Beside, Drawn while Untying the Splint, Drawing Lines between Legs, Drawn with Both Arms, and Revolving around the Shoulder*, all of which document various repetitive trajectories of the body. Notably, in this series, Lee produced actual concrete works (i.e., the drawings), thus differentiating it from his other events, which existed only as one-time performances.

In all of the works of the *Body Drawing* series, Lee uses the act of drawing to demonstrate the relationship between the body and the conditions surrounding the body. In *Drawn from Behind*, for example, Lee stood behind a large plywood veneer, and then reached around the veneer to draw on it. After stretching his arms out as far as possible to make some lines, he cut the veneer along those lines, and then repeated the entire process. As a result, the veneer got smaller, allowing him to reach further and further around it to make the subsequent drawings. Finally, the cut pieces were reconnected to form the final drawing that was exhibited. Similarly, for *Drawn with the Artist's Back toward the Plywood*, Lee stood in front of a veneer and reached back blindly to draw upon it, making quick, repetitive lines wherever his hand could reach; the final drawing essentially shows a silhouette of his body. For *Drawn Standing Beside*, Lee stood with his right shoulder against the veneer, and then drew a series of semicircles with his right hand; he then turn around and stood with his left shoulder against the veneer and drew with his left hand, thus producing a heart-shaped drawing. For *Drawn while Untying the Splint*, Lee tried to draw on a horizontal veneer while splints were sequentially attached and then removed from his elbow and wrist (respectively). In the final drawing, the varying state of Lee's restriction or liberation can be seen in the differing length and location of his drawn lines. Finally, for *Drawing Lines between Legs*, Lee placed a piece of paper on the floor and then tried to draw straight lines on the paper while standing over it with his legs spread apart. Before each new line that he drew, Lee repeatedly announced, "I will draw a straight line." But despite his assertive claim, the resulting lines were inevitably curved and crooked due to the natural structure of his body.

The works of *Body Drawing* do not produce the space to represent objects, but the space in which an act occurs. In other words, the space of *Body Drawing* is not the space of representation, but the space of physical movement, rhythm, and energy. Unlike the paintings of Jackson Pollock, however, Lee's *Body Drawing* does not claim to convey the existence of the artist through the traces of the body's free and dynamic movements. Instead, by restricting the "drawing body," the series seeks to reveal and question the essence of drawing or painting. Lee's intention is evidenced by the fact that the series was originally called *The Method of Drawing*. Given that *Body Drawing* fundamentally doubts the history and significance of drawing and painting, it may be seen as another "logical event" that forces us to question and

20
Lee Kun-Yong, "Drawing as Method
to Comprehensively Understand the
World and Humans," *Gallery 26* (1979):
80-81.

21
Lee interview, Ibid.

contemplate the world through logic that emerges from repetitive performance.

Body Drawing goes beyond representing objects, since its repetitive acts of the body result in paintings. Therefore, the series is often linked to *Ecriture* by Park Seobo or Lee Ufan's paintings of lines and dots. In those works, the repetitive acts of painting and erasing lines and dots become a meditative act of stoicism and self-cultivation, as opposed to *Body Drawing*, wherein self-identification is meant to emerge from the act of drawing itself. Rather than simply revealing the human hand hidden behind or within a drawing, Lee's series aims to comprehensively explore the relationships between what is drawn and what is required to draw (e.g., time, space, material). Furthermore, for Lee, the act of drawing could represent any human activity involving movement, space, consciousness, and the operation and structure of the body.[20]

Also, unlike the works of Park Seobo and Lee Ufan, the works of *Body Drawing* directly represent the exclusion of vision, that is, drawing without seeing. By adopting various unconventional positions (e.g., over, behind, or next to the canvas), Lee intentionally distinguished the physical act of drawing from thought or consciousness, allowing only for the perception of the body itself. Lee believed that, in order to engage fully with the surrounding space and indeed the entire universe, we must break free from the limits of consciousness in favor of non-awareness, as represented by not seeing.[21] This idea illuminates Lee's own "Method of Drawing," which aims to comprehensively understand people and the world by inquiring back into the essence of drawing.

Through his "logical events" of the 1970s, Lee Kun-Yong established his name in the history of Korean performance art. The renewal of interest in his works is likely related to the recent rise of performance art in the Korean contemporary art field. His "logical events" have a deceptive simplicity, in that they primarily consist of the artist's own body within a limited space. As such, they can provide a significant perspective for today's performance art, which is often designed to produce sensory shocks through the use of various video and audio equipment. Lee's works remind us that the body is neither material, nor a conduit for the senses, but a mediary that connects directly to the world. Moreover, he demonstrates how the simplest physical actions can serve as a type of language for initiating the deepest philosophical thoughts. This compelling perspective of the body is what makes Lee Kun-Yong and his "logical events" such an intriguing and essential chapter in the history of Korean contemporary art.

Part 03. Art Also Perishes

예술도 소멸한다

더 고생한다는 각오로 임하라.

65

IMF-(청년) 실업자, 부도 징후 (부분), 1989 / 2003
나무 위에 아크릴릭, 가변크기

———

IMF-(Young Man) Unemployed, Symptom of Bankruptcy (Detail), 1989 / 2003
Acrylic on wood, Dimensions variable

IMF-(청년) 실업자, 부도 징후, 1989 / 2003
나무 위에 아크릴릭, 가변크기

IMF-(Young Man) Unemployed, Symptom of Bankruptcy, 1989 / 2003
Acrylic on wood, Dimensions variable

그 다니라.

남이 성

은인의 가죽에게 융기를 가져오라.

설부른 창업을 삼가라.

아침

건이 자주 바뀐다.   어음이 사채업자에게 할인되고 있다.

아침에 일찍 일어나서 운동하라

65
IMF-(청년) 실업자, 부도 징후 (부분), 1989 / 2003
나무 위에 아크릴릭, 가변크기

IMF-(Young Man) Unemployed, Symptom of Bankruptcy (Detail), 1989 / 2003
Acrylic on wood, Dimensions variable

조 건 이   자 주   바 뀐 다.

실 패 자 의   조

도 성공하는 것은 아니다.

매입시점을 갑자기 앞당겨 달라고 한다.

서 운동하라.

나에게도 능력이 있다는 생각을 하라.

융통어음이 눈에 띄게 늘었다.

덤핑 판매가 늘어난다.

어 보라.

사업 분야에 갑자기 진출한다.

직원간의 위계질서가 없다.

배려 1978-2014, 1978 / 2014
나무상자, 나뭇가지, 끈, 가변크기

———

Solicitude 1978-2014, 1978 / 2014
Wooden boxes, branches, and ropes, Dimensions variable

걸프전-1991, 1991
캔버스에 유채, 155.5 × 366 cm

———

Gulf War-1991, 1991
Oil on canvas, 155.5 × 366 cm

68

앙코르 지리산, 1998
캔버스에 유채, 300 × 400.5 cm

———

Encore Mt. Jirisan, 1998
Oil on canvas, 300 × 400.5 cm

내가 씹은 껌, 2011~2014
나무판에 껌, 26 × 29 cm

——

The Gum I Chewed, 2011~2014
Gum on board, 26 × 29 cm

내가 섬은 점
2011~

LucKY

70

작가의 머리카락, 2010~2014
머리카락, 가변크기

———

Artist's Hair, 2010~2014
Hair, Dimensions variable

71

Lee KY의 尿, 2009~2011
작가의 오줌, 가변크기

———

Lee KY's Urine, 2009~2011
Artist's urine, Dimensions variable

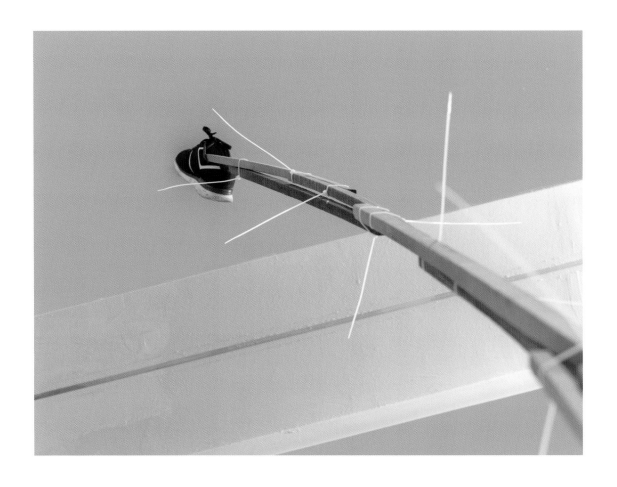

이어진 삶-2014, 2014
나무, 신발, 가변크기

Relay Life-2014, 2014
Wood, shoe, Dimensions variable

폭포수-장소의 논리, 1997
캔버스에 사진, 아크릴릭, 130 × 80.3 cm

———

Waterfall-Logic of Place, 1997
Photo and acrylic on canvas, 130 × 80.3 cm

달팽이 걸음-2007(L.A.), 2007
종이보드판, 710.5 × 101 cm

———

Snail's Gallop-2007(L.A.), 2007
Paperboard, 710.5 × 101 cm

달팽이 걸음-2014, 2014
고무벨트, 2000 × 92.5 cm

Snail's Gallop-2014, 2014
Rubber board, 2000 × 92.5 cm

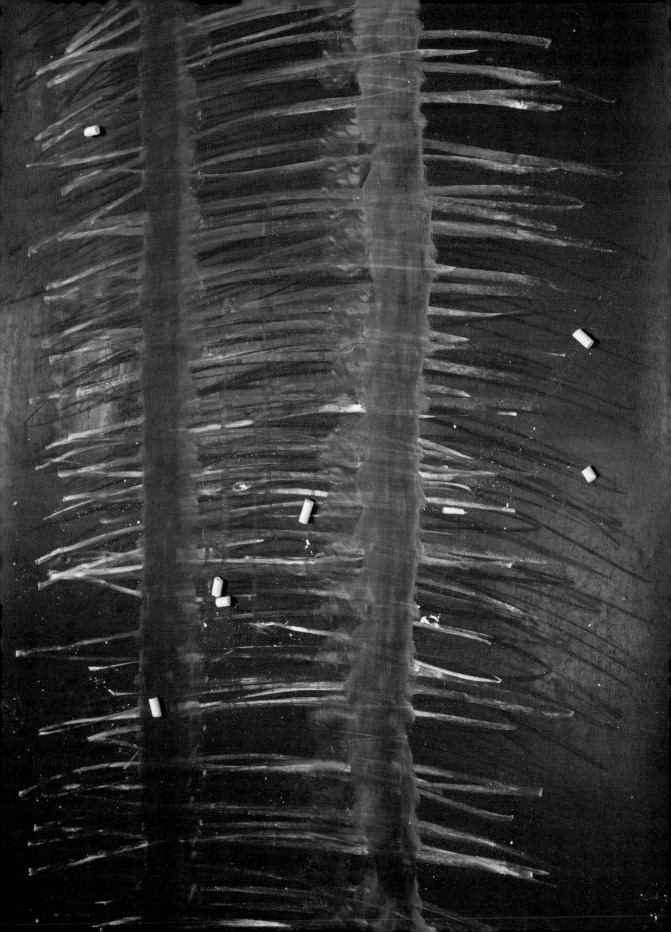

빨리 움직이는 놈, 천천히 움직이는 놈, 2014
싱글 채널 비디오

———

The One Moving Fast, the One Moving Slow, 2014
Single-channel video

《달팽이 걸음 _ 이건용》전 전시전경 '이건용 아카이브' | Installation View of *Lee Kun-Yong in Snail's Gallop 'Lee Kun-Yong Archive'*

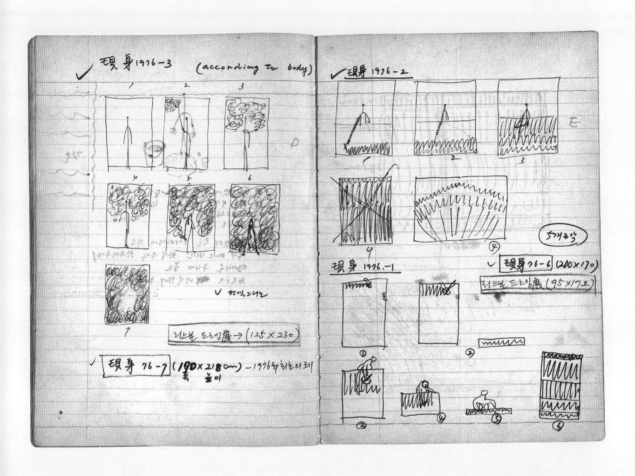

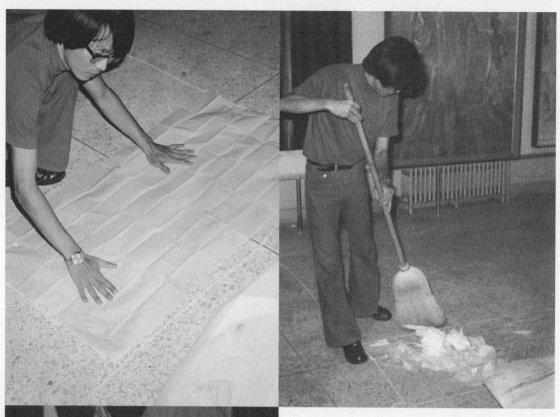

<동일면적>, 1975
《오늘의 방법전》, 백록화랑

Same Area, 1975
Today's Method (Baek-Rok Gallery)

<실내측정>, 1975
《오늘의 방법전》, 백록화랑

Indoor Measurement, 1975
Today's Method (Baek-Rok Gallery)

<손의논리 4>, 1975　　　　　　　　Logic of Hands 4, 1975　　　　　　　　**260**

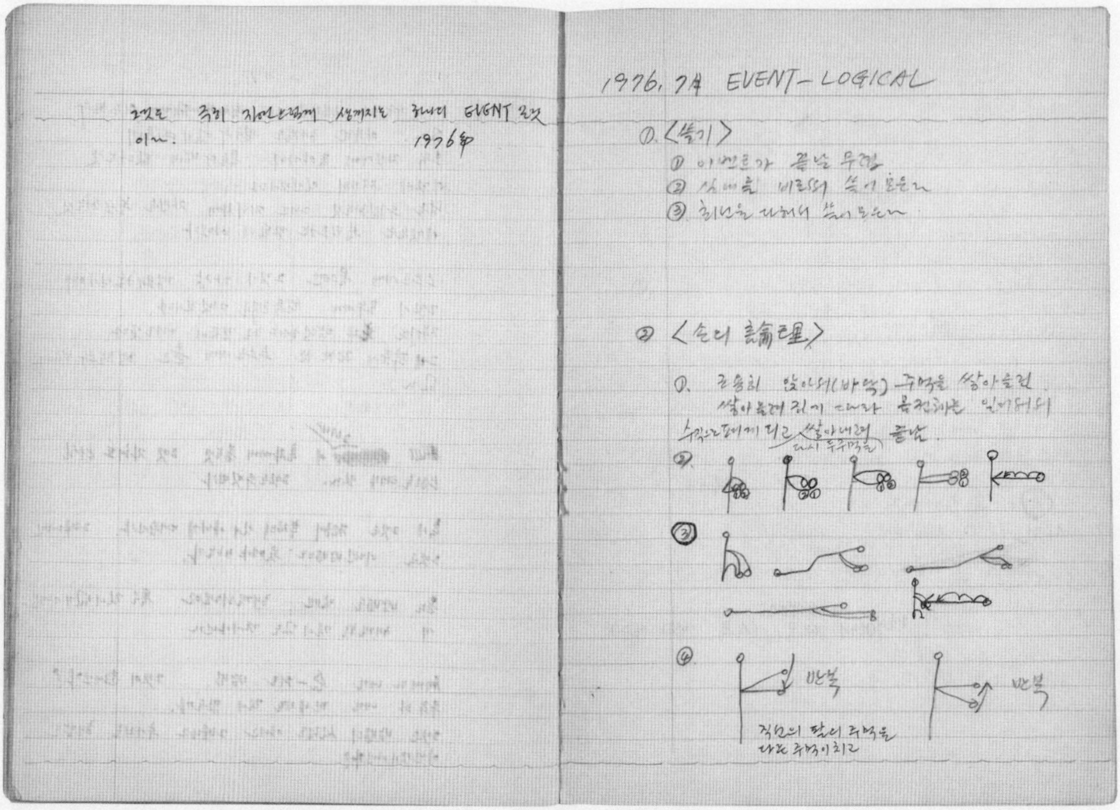

1976. 7月 EVENT-LOGICAL

①〈녹기〉
① 아까로가 끝나 무렵
② 신바람 비로서 속이 드러나
③ 하나로 다하여 쓰여드러나

②〈소리 論理〉

1. 끝소리 닿아쉬(바탕) 무대를 삼아울려
   쉬아울려 길이 따라 올려쉬는 잊어버리
   소리가운데 되고 쉰알아버려 끝남.

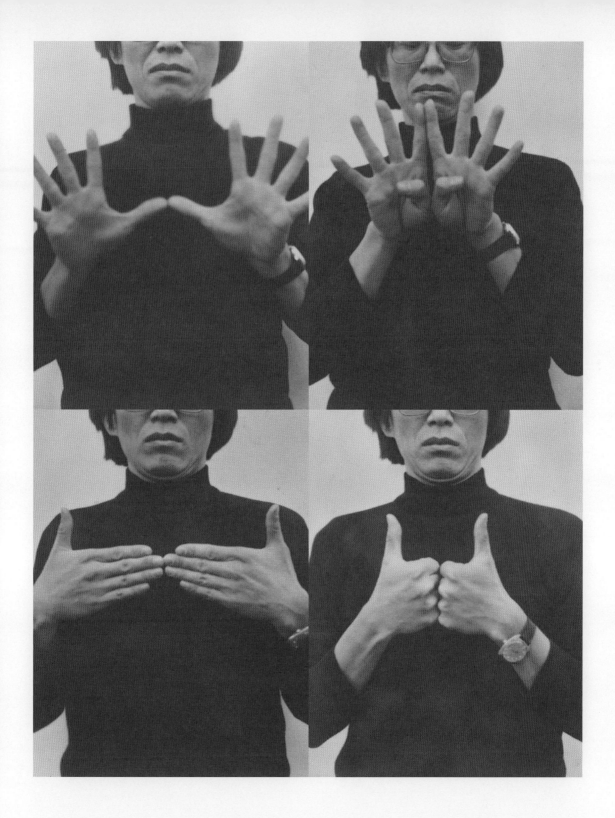

<손의 논리 I>, 1975　　　　　　　　　　*Logic of Hands I*, 1975　　　　　　　　　　263

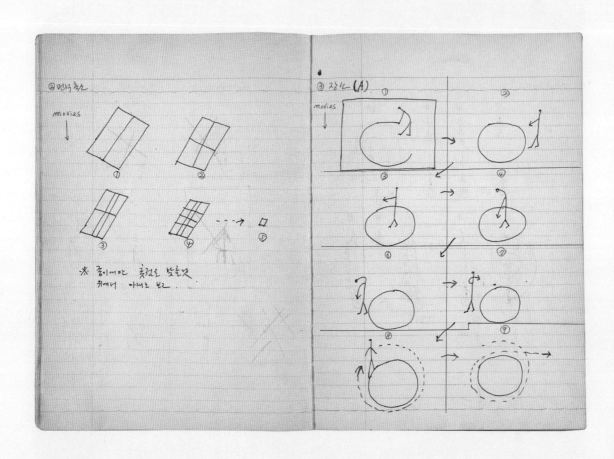

〈장소의 논리〉, 1975
홍익대학교 운동장 실연, 촬영 이완호

Logic of Place, 1975
Performed on the Playground of Hongik University, Photograph by Lee Wan-ho

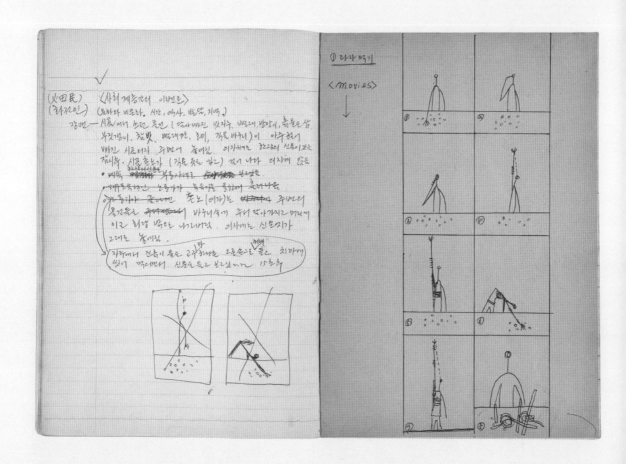

<건빵먹기>, 1975 (1979년 재연)   *The Biscuit Eating*, 1975 (Reperformance, 1979)

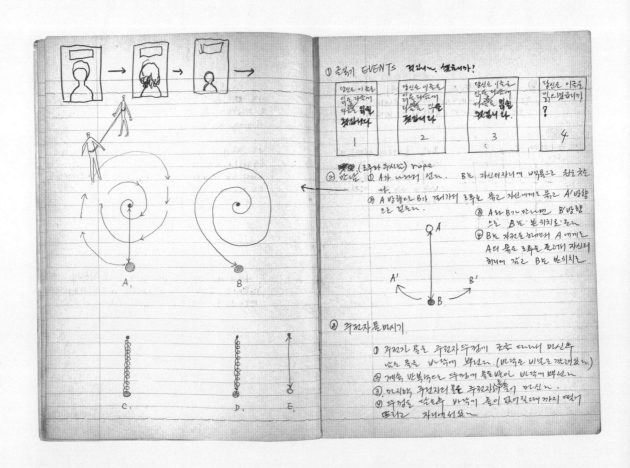

① 손뼉치기 EVENTS 정해서~ 셀까요가?

당신은 이름을 읽는 다음에 다음을 읽을 정해나다	당신은 이름을 읽는 다음에 다음을 다음 정해서라	당신은 이름을 읽는 다음에 다음을 읽을 정해서라.	당신은 이름을 읽었엽하니가 ?
1	2	3	4

② 안냄. (로루와 유시는) rope
① A가 나서서 선다. B는 자신터자니며 비닥톨으로 천도 친는다.
② A방향으로 B가 걷어가서 로루를 묶고 자신에게도 묶고 A'방향으로 걷는다.
③ A와 B가 만나면 B'방향으로 B는 분위치로 간다.
④ B는 자신을 하면서 A에게로 A의 묶고 로루를 풀어서 자신터 하니에 걸고 B는 분위치로.

③ 주런자 문 마시기.
① 주런자가 풀은 주런자 뚜껑이 곧즈 때나서 마신후 남은 물은 바닥에 뿌린다. (바닥을 비닥을 깼려요든)
② 게속 반복하도록 뚜껑에 물을 받어 바닥에 뿌린다.
③ 마시막 주런자터 문은 주런자 하에 마신다.
④ 주런을 삼토록 바닥에 물이 딶어직때까지 떤기 뜨리고 자니에 서요~

<로프와 두 사람>, 1976
《4인의 이벤트》, 서울화랑

Rope and Two Men, 1976
Event of Four Artists（Seoul Gallery）

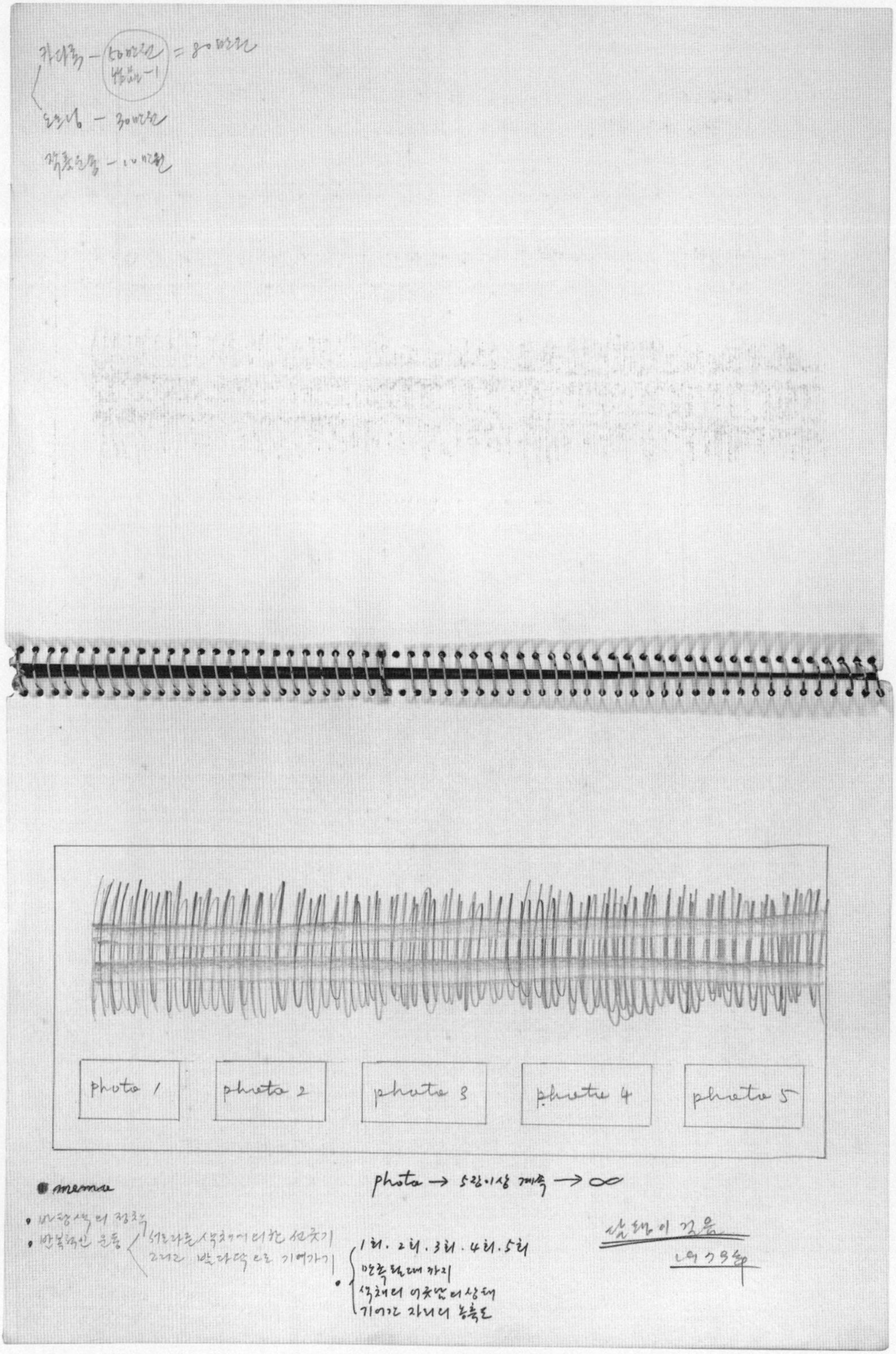

<달팽이 걸음> 드로잉, 1979, pp. 32-33

Drawing for *Snail's Gallop*, 1979, pp. 32-33

<달팽이 걸음>, 1979 (1980년 재연)   *Snail's Gallop*, 1979 (Reperformance, 1980)

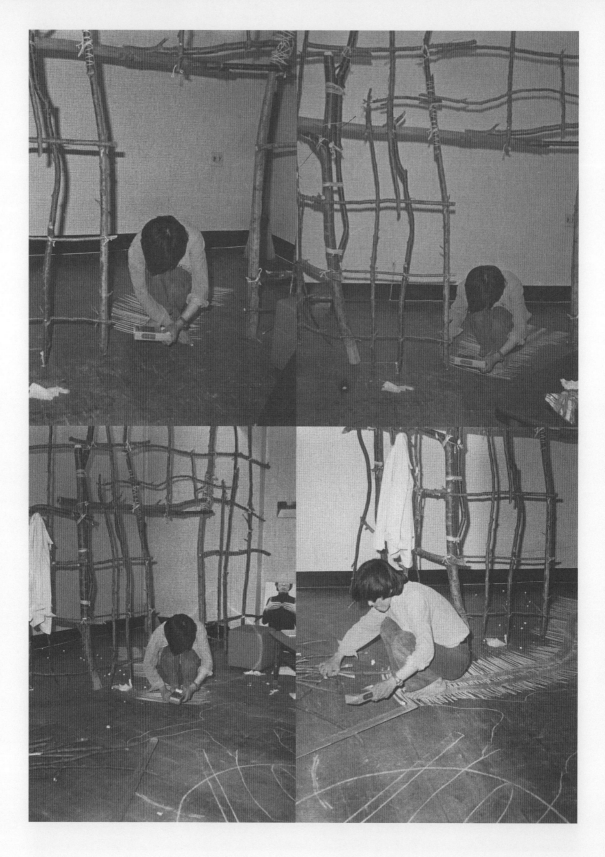

<달팽이 걸음>, 1979
《이건용 드로잉 · 이벤트 전》, 남계화랑

Snail's Gallop, 1979
Lee Kun-Yong's Drawing · Event (Namgye Gallery)

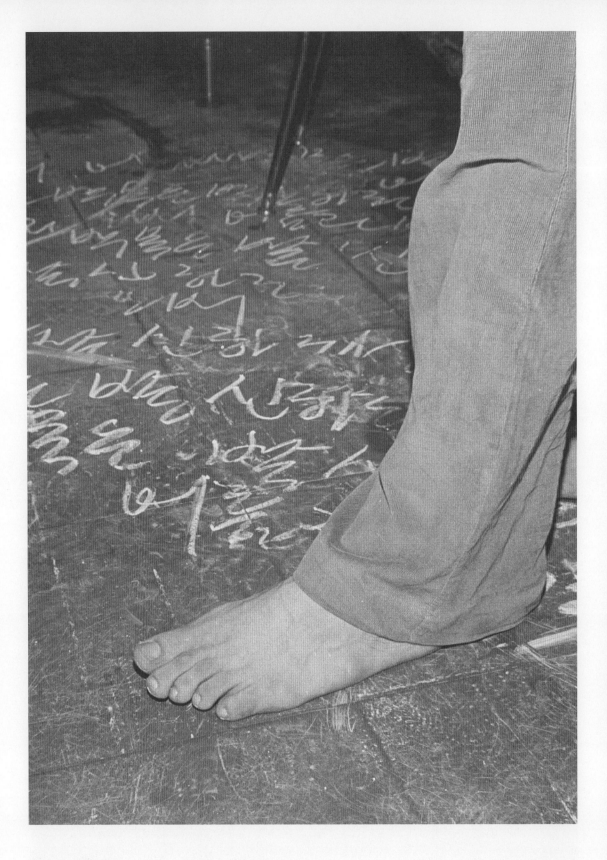

<얼음과 백묵은 발신하라>, 1979
《이건용 드로잉·이벤트 전》, 남계화랑

Dispatch of Ice and Chalk, 1979
Lee Kun-Yong's Drawing · Event (Namgye Gallery)

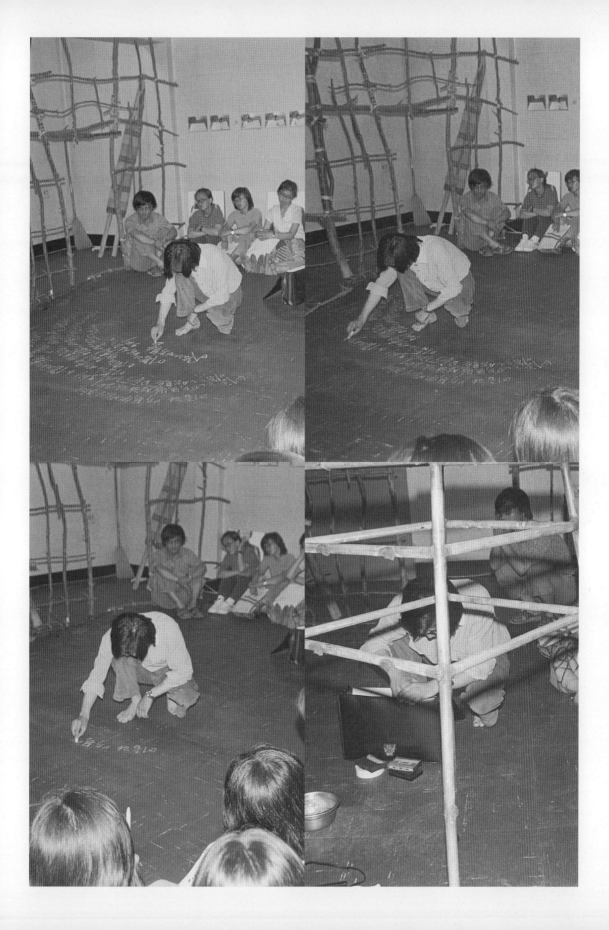

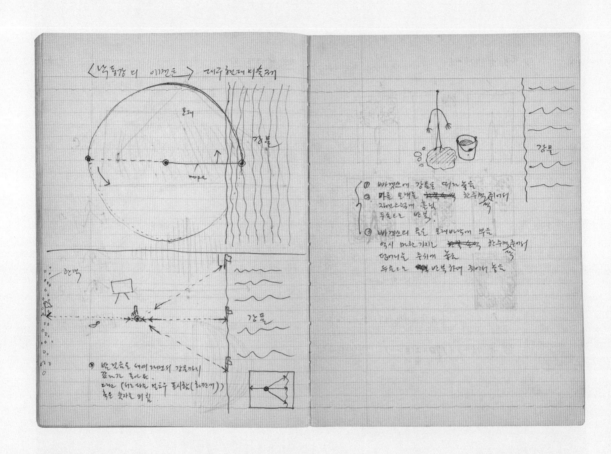

<여기, 저기>, 1979
《제5회 대구현대미술제》, 대구 강정

This Place, That Place, 1979
The 5th Daegu Contemporary Art Festival, Gangjeong, Daegu

<이어진 삶 79-2>, 1979 (1980년 재연)   *Relay Life* 79-2, 1979 (Reperformance, 1980)

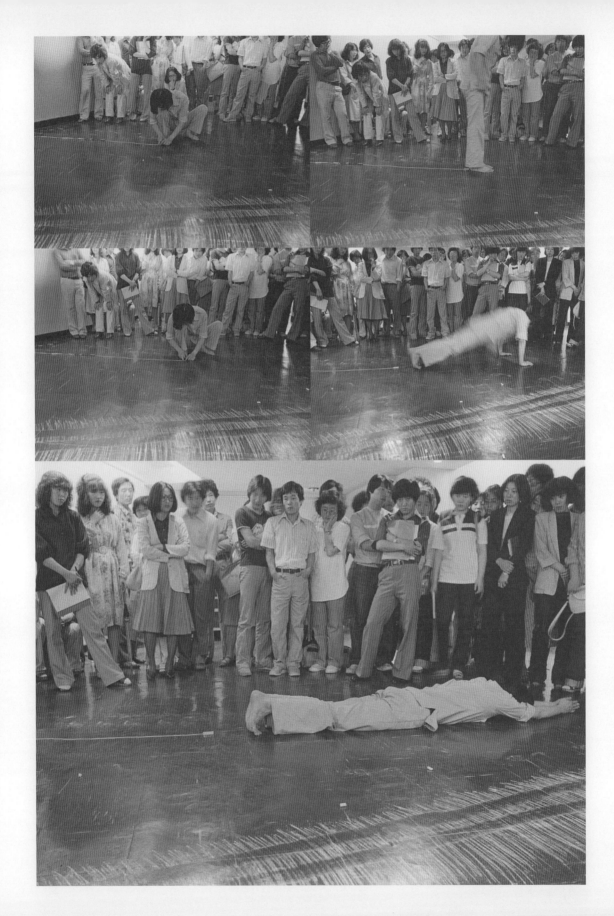

작품목록
List of Works

01

신체항 71-2014, 원안 1971 / 재설치 2014
나무기둥, 뿌리, 흙, 자갈, 가변크기

Corporal Term 71-2014, 1971 / 2014
Trunk, root, soil, and gravel, Dimensions variable

02

관계항-72, 1972
나무상자, 돌, 가변크기

Relation Term-72, 1972
Wooden boxes, stones, Dimensions variable

03

관계항-78, 1978
나무상자, 나뭇가지, 돌, 분필선, 끈, 20 × 168 × 128 cm

Relation Term-78, 1978
Wooden box, branches, stone, chalk line, and rope, 20 × 168 × 128 cm

04

무제 83-1, 1983
은행나무, 56 × 73 × 127 cm

Untitled 83-1, 1983
Ginko tree, 56 × 73 × 127 cm

05

무제 83-2, 1983
은행나무, 76.5 × 54 × 124.5 cm

Untitled 83-2, 1983
Ginko tree, 76.5 × 54 × 124.5 cm

06

무제 83-3, 1983
나무상자, 나뭇가지, 124.5 × 76.5 × 54 cm

Untitled 83-3, 1983,
Wooden boxes, branch, 124.5 × 76.5 × 54 cm

07

무제 83-4, 1983
아카시아 나무, 100 × 126 × 8.5 cm

Untitled 83-4, 1983
Acacia tree, 100 × 126 × 8.5 cm

08

무제 83-5, 1983
아카시아나무, 282 × 17 × 38 cm

Untitled 83-5, 1983
Acacia tree, 282 × 17 × 38 cm

09

무제 83-6, 1983
아카시아 나무, 200 × 18 × 54 cm

Untitled 83-6, 1983
Acacia tree, 200 × 18 × 54 cm

10

무제 83-7, 1983
은행나무, 돌, 9 × 57 × 100 cm

Untitled 83-7, 1983
Ginko tree, stones, 9 × 57 × 100 cm

11

무제 83-8, 1983
은행나무, 14 × 101 × 15 cm

Untitled 83-8, 1983
Ginko tree, 14 × 101 × 15 cm

12

무제 83-9, 1983
아카시아 나무, 61 × 180 × 190 cm

Untitled 83-9, 1983
Acacia tree, 61 × 180 × 190 cm

13

무제 83-10, 1983
아카시아나무, 120 × 88 × 26 cm

Untitled 83-10, 1983
Acacia tree, 120 × 88 × 26 cm

14

무제 83-11-2005, 2005
보리수나무, 188 × 230.5 × 20 cm

Untitled 83-11-2005, 2005
Linden tree, 188 × 230.5 × 20 cm

15

무제 83-3-2005, 2005
나무박스, 나무줄기, 238 × 120 × 95 cm

Untitled 83-3-2005, 2005
Wooden box, branch, 238 × 120 × 95 cm

16

무제 83-14, 1983
나뭇가지, 끈, 28 × 203 × 4 cm

Untitled 83-14, 1983
Branches, strings, 28 × 203 × 4 cm

17

무제 84-1, 1984
은행나무, 17 × 18.5 × 133 cm

Untitled 84-1, 1984
Ginko tree, 17 × 18.5 × 133 cm

18

무제 84-2, 1984
은행나무, 20 × 57.5 × 183 cm

Untitled 84-2, 1984
Ginko tree, 20 × 57.5 × 183 cm

19

무제 84-3, 1984
은행나무, 20 × 30 × 30 cm

Untitled 84-3, 1984
Ginko tree, 20 × 30 × 30 cm

20

무제 84-4, 1984
은행나무, 24.9 × 19 × 32 cm

Untitled 84-4, 1984
Ginko tree, 24.9 × 19 × 32 cm

21

무제 84-5, 1984
오동나무, 31.5 × 23 × 102 cm

Untitled 84-5, 1984
Paulownia tree, 31.5 × 23 × 102 cm

22

무제 84-6, 1984
오동나무, 111 × 62 × 58.5 cm

Untitled 84-6, 1984
Paulownia tree, 111 × 62 × 58.5 cm

23

무제 84-7, 1984
은행나무, 37 × 31 × 30 cm

Untitled 84-7, 1984
Ginko tree, 37 × 31 × 30 cm

24

무제 84-11, 1984
오동나무, 37.5 × 54 × 46 cm

Untitled 84-11, 1984
Paulownia tree, 37.5 × 54 × 46 cm

25

무제 84-8, 1984
은행나무, 36 × 22 × 45 cm

———

Untitled 84-8, 1984
Ginko tree, 36 × 22 × 45 cm

26

무제 84-12, 1984
은행나무, 38 × 41 × 15.3 cm

———

Untitled 84-12, 1984
Ginko tree, 38 × 41 × 15.3 cm

27

무제 84-10, 1984
오동나무, 56 × 20 × 21cm

———

Untitled 84-10, 1984
Paulownia tree, 56 × 20 × 21 cm

28

무제 85-1, 1985
은행나무, 17 × 123 × 17 cm

———

Untitled 85-1, 1985
Ginko tree, 17 × 123 × 17 cm

29

무제 85-2, 1985
은행나무, 9 × 74 × 5 cm

———

Untitled 85-2, 1985
Ginko tree, 9 × 74 × 5 cm

30

무제 85-3, 1985
오동나무, 11.5 × 106.5 × 42.5 cm

———

Untitled 85-3, 1985
Paulownia tree, 11.5 × 106.5 × 42.5 cm

31

무제 85-5, 1985
오동나무, 23.5 × 154 × 34 cm

———

Untitled 85-5, 1985
Paulownia tree, 23.5 × 154 × 34 cm

32

무제 86-1, 1986
오동나무, 49 × 66 × 70 cm

———

Untitled 86-1, 1986
Paulownia tree, 49 × 66 × 70 cm

33

무제 86-3, 1986
오동나무, 94.5 × 91 × 86 cm

———

Untitled 86-3, 1986
Paulownia tree, 94.5 × 91 × 86 cm

34

무제 86-6, 1986
오동나무, 16 × 95 × 54 cm

———

Untitled 86-6, 1986
Paulownia tree, 16 × 95 × 54 cm

35

무제 86-7, 1986
오동나무, 35 × 96 × 40 cm

———

Untitled 86-7, 1986
Paulownia tree, 35 × 96 × 40 cm

36

지각의 오차 1971-2014, 1971 / 2014
나무상자, 가변크기

———

Perceptual Discrepancy 1971-2014, 1971 / 2014
Wooden boxes, Dimensions variable

37

포-군청색 A, B, C, 1974
천에 유채, 145 × 197 cm, 146 × 198 cm, 144 × 197 cm

Cloth-Ultramarine A, B, C, 1974
Oil on cloth, 145 × 197 cm, 146 × 198 cm, 144 × 197 cm

38

포-주머니, 1974
천에 유채, 170 × 263 cm

Cloth-Pocket, 1974
Oil on cloth, 170 × 263 cm

39

포-주황, 녹, 청, 1974
천에 유채, 180 × 165 cm, 168.5 × 254.3 cm, 179 × 263.3 cm

Cloth-Orange, Green, Blue, 1974
Oil on cloth, 180 × 165 cm, 168.5 × 254.3 cm, 179 × 263.3 cm

40

물에 기생한 예술, 2002
캔버스에 아크릴릭, 나무틀, 사진, 컵, 58.5 × 48 cm

Parasitic Art on Water, 2002
Wooden frame, photo, cup, and acrylic on canvas, 58.5 × 48 cm

41

신체드로잉 76-1 (뒤에서), 1976
베니어판에 매직, 170 × 90 cm / 사진, 22 × 27.3 cm (各)

The Method of Drawing 76-1 (Drawn from Behind), 1976
Marker pen on plywood, 170 × 90 cm / Photograph, 22 × 27.3 cm (each)

42

신체드로잉 76-4 (부목을 풀면서), 1976 (1980년 재제작)
종이에 연필, 70 × 90 cm / 사진, 30.5 × 45.7 cm (各)

The Method of Drawing 76-4 (Drawn while Untying the Splint), 1976 / 1980
Pencil on paper, 70 × 90 cm / Photograph, 30.5 × 45.7 cm (each)

43

신체드로잉 76-5 (다리 사이로 선긋기), 1976 (2002년 재제작)
합판에 목탄, 73 × 122 cm / 사진, 30.5 × 45.7 cm (各)

The Method of Drawing 76-5 (Drawing Lines between Legs), 1976 / 2002
Charcoal on plywood, 73 × 122 cm / Photograph, 30.5 × 45.7 cm (each)

44

신체드로잉 76-6 (양팔로), 1976
베니어판에 매직, 122 × 217.5 cm

The Method of Drawing 76-6 (Drawn with Both Arms), 1976
Marker pen on plywood, 122 × 217.5 cm

45

신체드로잉 76-7 (어깨를 축으로), 1976 (1981년 재제작)
종이에 연필, 72 × 100 cm

The Method of Drawing 76-7 (Revolving around the Shoulder), 1976 / 1981
Pencil on paper, 72 × 100 cm

46

신체드로잉 76-8 (온몸을 축으로-만월), 1976 / 2008
사진, 21 × 27.3 cm [各]

The Method of Drawing 76-8 (Whole Body as Axis-Full Moon), 1976 / 2008
Photograph, 21 × 27.3 cm (each)

47

신체드로잉 76-9 (두팔로 몸부림-하마궁둥이), 1976 / 2002
합판에 목탄, 244 × 122 cm / 사진, 27.3 × 21 cm (各)

The Method of Drawing 76-9 (Struggling with Both Arms-Hippo's Rump),
1976 / 2002, Charcoal on plywood, 244 × 122 cm /
Photograph, 27.3 × 21 cm (each)

48

신체드로잉 85-0-3 (남자), 1985
캔버스에 유채, 228 × 181 cm

The Method of Drawing 85-0-3 (Male), 1985
Oil on canvas, 228 × 181 cm

49

신체드로잉 85-0-5 (여자), 1985
캔버스에 유채, 226 × 180.5 cm

The Method of Drawing 85-0-5 (Female), 1985
Oil on canvas, 226 × 180.5 cm

50

신체드로잉 85-0-6 (하트), 1985
캔버스에 유채, 연필, 사진, 130 × 161 cm

The Method of Drawing 85-0-6 (Heart), 1985
Pencil, photo, and oil on canvas, 130 × 161 cm

51

신체드로잉 85-0-9 (회오리-바람), 1985
캔버스에 유채, 91 × 75 cm

The Method of Drawing 85-0-9 (Tornado), 1985
Oil on canvas, 91 × 75 cm

52

인간항(중년부인) 76-3-07-05, 1990
종이에 아크릴릭, 197 × 197 cm

Human's Term (Middle-Aged Woman) 76-3-07-05, 1990
Acrylic on canvas, 197 × 197 cm

53

신체드로잉 (천사들), 1995
캔버스에 유채, 259 × 384 cm

The Method of Drawing (Angels), 1995
Oil on canvas, 259 × 384 cm

54

신체드로잉 76-3-07-04, 2007
캔버스에 아크릴릭, 130.3 × 160 cm

The Method of Drawing 76-3-07-04, 2007
Acrylic on canvas, 130.3 × 160 cm

55

신체드로잉 76-3-07-03-L.A, 2007
캔버스에 아크릴릭, 130.3 × 162.2 cm

The Method of Drawing 76-3-07-03-L.A., 2007
Acrylic on canvas, 130.3 × 162.2 cm

56

신체드로잉 76-3-08-02 (하트배꼽), 2008
캔버스에 사진, 아크릴릭, 130.3 × 162.2 cm

The Method of Drawing 76-3-08-02 (Belly Button of Heart), 2008
Photo and acrylic on canvas, 130.3 × 162.2 cm

57

드로잉의 방법 76-1 (흑백), 2008
캔버스에 아크릴릭, 170 × 237 cm

The Method of Drawing 76-1 (Black and White), 2008
Acrylic on canvas, 170 × 237 cm

58

드로잉의 방법 76-1-08-01 (유령), 2008
캔버스에 사진, 아크릴릭, 260 × 194 cm

The Method of Drawing 76-1-08-01 (Phantom), 2008
Photo and acrylic on canvas, 260 × 194 cm

59

신체드로잉 76-2-08-02, 2008
캔버스에 아크릴릭, 227 × 200 cm

The Method of Drawing 76-2-08-02, 2008
Acrylic on canvas, 227 × 200 cm

60

신체드로잉 76-3-08-01 (여성을 위하여), 2008
캔버스에 사진, 아크릴릭, 260 × 200 cm

The Method of Drawing 76-3-08-01 (For Women), 2008
Photo and acrylic on canvas, 260 × 200 cm

61

신체드로잉 76-2-08-01 (미래의 관문), 2008
캔버스에 사진, 아크릴릭, 260 × 200 cm

The Method of Drawing 76-2-08-01 (Gateway to the Future), 2008
Photo and acrylic on canvas, 260 × 200 cm

62

우기(雨期), 2012
캔버스에 아크릴릭, 34.8 × 21.2 cm

Monsoon, 2012
Acrylic on canvas, 34.8 × 21.2 cm

63

화면 뒤에서 그린 사람을 위하여, 2011
캔버스에 아크릴릭, 170 × 258 cm

For the One Who Painted from Behind, 2011
Acrylic on canvas, 170 × 258 cm

64

76-1-변형 (量이 천재를 만든다), 2011
캔버스에 아크릴릭, 가변크기

76-1-Variation (Quantity Creates Genius), 2011
Acrylic on canvas, Dimensions variable

65

IMF-(청년) 실업자, 부도 징후, 1989 / 2003
나무 위에 아크릴릭, 가변크기

IMF-(Young Man) Unemployed, Symptom of Bankruptcy, 1989 / 2003
Acrylic on wood, Dimensions variable

66

배려 1978-2014, 1978 / 2014
나무상자, 나뭇가지, 끈, 가변크기

Solicitude 1978-2014, 1978 / 2014
Wooden boxes, branches, and ropes, Dimensions variable

67

걸프전-1991, 1991
캔버스에 유채, 155.5 × 366 cm

Gulf War-1991, 1991
Oil on canvas, 155.5 × 366 cm

68

앙코르 지리산, 1998
캔버스에 유채, 300 × 400.5 cm

Encore Mt. Jirisan, 1998
Oil on canvas, 300 × 400.5 cm

69

내가 씹은 껌, 2011~2014
나무판에 껌, 26 × 29 cm

The Gum I Chewed, 2011~2014
Gum on board, 26 × 29 cm

70

작가의 머리카락, 2010~2014
머리카락, 가변크기

Artist's Hair, 2010~2014
Hair, Dimensions variable

71

Lee KY의 尿, 2009~2011
작가의 오줌, 가변크기

Lee KY's Urine, 2009~2011
Artist's urine, Dimensions variable

72

이어진 삶-2014, 2014
나무, 신발, 가변크기

Relay Life-2014, 2014
Wood, shoe, Dimensions variable

73

폭포수-장소의 논리, 1997
캔버스에 사진, 아크릴릭, 130 × 80.3 cm

Waterfall-Logic of Place, 1997
Photo and acrylic on canvas, 130 × 80.3 cm

74

달팽이 걸음-2007(L.A.), 2007
종이보드판, 710.5 × 101 cm

Snail's Gallop-2007(L.A.), 2007
Paperboard, 710.5 × 101 cm

75

달팽이 걸음-2014, 2014
고무벨트, 2000 × 92.5 cm

Snail's Gallop-2014, 2014
Rubber board, 2000 × 92.5 cm

76

빨리 움직이는 놈, 천천히 움직이는 놈, 2014
싱글 채널 비디오

The One Moving Fast, the One Moving Slow, 2014
Single-channel video

참고문헌 목록
Bibliography

단행본	2012	Lee Kun-Yong, Lee Kun-Yong :Art is Always Pessimistic but Still Optimistic, aMart Publications, Seoul, 2012
		이혁발, 『행위미술 이야기: 윤진섭과의 대화』, 사문난적, 2012
	2011	김금미, 「1970년대 이건용 작품의 텍스트성」, 『1970-80년대 한국의 역사적 개념미술』, 경기도 미술관 엮음, 눈빛, 2011, pp. 175~188
	2008	이혁발, 「행위미술로 사유, 명상, 철학하기」, 『한국의 행위미술』, 다빈치 기프트, 2008, pp. 34~57
		임두빈, 「이건용」, 『우리미술가 33』, 가람기획, 2008, pp. 150~163
	2007	강태희, 「1970년대 개념미술의 현황: ST전시를 중심으로」, 『현대미술과 시각문화』, 눈빛, 2007, pp. 199~228
		김복영, 「1970년대 한국의 실험미술」, 『한국 현대미술 새로 보기』, 미진사, 2007, pp. 205~218
	2005	이혁발, 이건용, 「한국 행위미술 60년대와 70년대」, 『작가들이 뽑은 최고의 작가, 최고의 작품』, 『이건용』, 『한국 퍼포먼스 아트』, 다빈치 기프트, 2005, pp. 11~29, 161~163, 215~217
	2001	오상길, 「이건용 대담」, 『한국 현대미술 다시 읽기 II』, ICAS, 2001, pp. 169~192
	1998	신방흔, 「이건용 작가론」, 『현대미술: 대상과 존재 사이에서』, 글방문학, 1998, pp. 3~45
	1995	김재권, 「열려진 삶과 문화를 향한 조형적 변증법」, 『Kun-Yong Lee』, 아르비방Contemporary Korean Artists 시리즈 no. 33, 시공사, 1995, pp. 6~13
		이건용, 「이건용」, 『한국을 움직이는 인물들(下)』, 중앙일보사, 1995, p. 1484
	1994	권명광, 「퍼포먼스」, 『디자인 사전』, 안그라픽스, 1994, p. 275
	1992	최병식, 「움직이는 이미지 행위예술」, 『미술의 구조와 그 신비』, 예술과 비평사, 1992, pp. 21~26
	1991	정정수, 『인체드로잉기법』, 조형사, 1991, p. 143
	1988	김영재, 『한국 양화 백년 1』, 미술연감사, 1988, p. 23, 430
		김영재, 『한국 양화 백년 2』, 미술연감사, 1988, p. 346
	1987	최병식, 『세계 드로잉 대전』, 미술연감사, 1987, p. 471, 655, 677, 705
	1985	김복영, 「평면의 대위로서 입체와 장소의 논리」, 『관계항으로서의 드로잉』, 『현대미술연구』, 정음문화사, 1985, pp. 252~258, 298~300
	1982	이일, 「한국미술, 그 오늘의 얼굴」, 「현대미술 10년의 발자취」, 『한국미술 그 오늘의 얼굴』, 공간사, 1982, pp. 81~84, 100~103
	1976	오광수, 「비물질과 관념의 세계-74」, 『전환기의 미술』, 열화당 미술문고, 1976, pp. 109~110
전시도록	2010	양정무, 「드로잉 미술사의 개념적 지향: 1970~80」, 『이건용』, 『한국드로잉 30년』, 소마미술관, 2010, pp. 11~27, 252~255
		이태호, 「이건용의 신체 사유」, 『Kun-Yong, Lee』, Gallery Casa di Lago 개관전 도록, 2010, pp. 3~7
	2008	김복영, 「이건용論-신체와 장소를 찾아서 40년」, 『Kun-Yong, Lee』, 2007년도 제8회 이인성미술상 수상작가 초대전, 대구미술협회, 2008, pp. 6~19
		이경모, 「이건용 삶과 예술의 교차점에서」, 『이건용 드로잉: 언더그라운드 2008-1』, 아산갤러리, 2008, pp. 4~5
	2007	국립현대미술관 편, 『한국의 행위미술 1967~2007』, 국립현대미술관, 2007
		김찬동, 「이건용의 세계」, 『아트스타 100展』, 코엑스 아트스타전 도록, 2007, pp. 126~129
		이은주, 「정체를 찾아 부유하는 내면의 언어들-이건용」, 『신체에 관한 사유』, 서울시립미술관, 2007, pp. 6~9, 74~77
		소마미술관 편, 『소마미술관 작가 재조명전-쉬지 않는 손』, 소마미술관, 2007, pp. 56~58
	2005	Mikael Hansen, Iben From, Kunstcentret Silkeborg Bad, "Kun-Yong Lee", 6 Contemporary Artists from Korea, exhibition catalogue, Kunstcentret Silkeborg Bad, Silkeborg, 2005, pp. 16~22
	2004	이영철, 「동시대 한국미술을 위한 성찰적 노트」, 『당신은 나의 태양』, 토탈미술관, 2004, pp. 304~311
	2002	한국소리문화의전당 편, 『이건용 미술 35년』, 한국소리문화의전당, 2002
	1999	문예진흥원 미술회관 편, 『이건용, 논리·삶·일상』, '99 한국현대미술기획초대전, 문예진흥원 미술회관, 1999
	1989	나우 갤러리 편, 『이건용』, 나우 갤러리 개인전 브로셔, 1989
	1985	이건용, 「신체적 회화」, 『이건용』, 윤 갤러리 개인전 리플릿, 1985
	1984	황현욱, 「작업 대상과의 은밀한 대화」, 『이건용』, 수화랑 개인전 리플릿, 1984
	1983	이건용, 「個人展을 하면서」, 『관훈미술관 기획 이건용전』, 관훈미술관 개인전 리플릿, 1983
	1979	김복영, 「李健鏞의 드로잉과 EVENT展에 붙여-그 意味와 可能性에 관하여」, 『이건용 드로잉·이벤트展』, 남계화랑 개인전 리플릿, 1979

학위논문	2000	김미경, 「1960-70년대 한국의 실험미술과 사회: 경계를 넘는 예술가들」,
		이화여자대학교 대학원 박사학위 논문, 1999, pp. 96~161
	1990	서희석, 『현대 행위미술에 관한 연구』, 계명대학교 대학원 석사논문, 1990, pp. 30~50
	1984	안치인, 『현대행위미술과 한국행위미술의 고찰』, 동국대학교 대학원 석사논문, 1984, pp. 17~32
	1981	한영섭, 『한국 현대미술의 사물관』, 동국대학교 교육대학원 석사논문, 1981, pp. 1~34

정기간행물	2014	아트인컬쳐 편, 「"지랄발광" 미학」, 『아트인컬쳐』, 4월, pp. 78~79
	2013	안대웅, 「아티스트 이건용」, 『Public Art』, 11월, pp. 86~93
	2011	아트인컬쳐 편, 「팔방미인: 한국의 개념미술가 8인이 말한다」, 『아트인컬쳐』, 2월, pp. 147~149
		아트인컬쳐 편, 「네 가지 키워드로 본 추상하라」, 『아트인컬쳐』, 5월, pp. 120~129
	2009	이대범, 「거기, 여기, 저기, 어디-미술가 이건용」, 『네이버 캐스트』, 2009
		Yoo Jin-Sang, "101 Faces on Korean Art Today: Kun-Yong Lee", Art in Asia, 7 · 8월, p. 99
	2008	김미경, 「한국현대미술 60장면」, 『아트인컬쳐』, 10월, pp. 138~139
	2007	오광수, 「오광수의 현대미술 반세기 4」, 『아트인컬쳐』, 4월, pp. 173~179
	2005	김미경, 「한국의 1960-70년대 그룹과 집단활동」, 『월간미술』, 2월, pp. 54~56
		김복영, 「타자로서의 사물에 대한 응시, 'ST'의 신화」, 『월간미술』, 2월, pp. 57~59
		반이정, 「'이방한' 두 사내의 '마찰 없는' 타이틀 매치」, 『미술세계』, 2월, pp. 44~47
		윤진섭, 「Exhibition Topic-엄숙주의와 코믹주의의 타이틀 매치」, 『월간미술』, 2월, pp. 126~129
	2004	Art Price편, 「이건용 <달팽이 걸음> 재현」, 『Art Price』, 2월, p. 63
	2002	장석원, 「역사의식, 그 신화적 몸짓과 논리」, 『아트인컬쳐』, 12월, pp. 106~107
	2001	강태희, 「1970년대의 행위미술 이벤트- ST 멤버의 작품을 중심으로」, 『현대미술사연구』 제 13집,
		현대미술사학회, 눈빛, 2001, pp. 7~34
	2000	이건용, 「테마 특집, 지금 그대로 영원히」, 『미래의 얼굴 LG 애드』, 11 ·12월, pp. 42~43, 51
	1999	미술신문 편, 「이건용, 논리·삶·일상」, 『미술신문』, 9월, p. 2
	1996	성능경, 「캔버스여 흔들려라」, 『가나아트』, 5 · 6월, pp. 40~47
	1994	이건용, 「예술을 벗기는 사람·이건용」, 『대일(대일화학주식사보)』, 11 · 12월, pp. 40~41
	1993	김재권, 「이건용의 작품세계-삶과 문화에 대한 회고 시스템」, 『삼양』, 1월(215호), p. 83
		이건용, 「무엇이 <헤>와 <F>는 가능하고 불가능했는가」, 『미술세계』, 4월, pp. 114~119
	1992	김정률, 「화가, 행위예술가 이건용」, 『J.R 뉴스라인』, 1월(2호), p. 1
		월간미술 편, 「[특집] 오늘의 한국미술 무엇이 문제인가」, 『월간미술』, 1월, pp. 44~57
		장석원, 「신화 저편의 몸짓들」, 『가나아트』, 5월(25호), pp. 144~148
		정정원, 「문화인물기획, 퍼포먼스」, 『인물계』, 3월(102호), pp. 100~106
	1991	월간중앙 편, 「이건용의 행위미술: 지상전시」, 『월간중앙』, 8월
	1990	김복영 外 2인, 「오늘의 작가 이건용: 세계의 구조와 삶의 논리 탐구」, 「작가와 대담: 개념의 박제품이 아니다.
		모두가 공유하는 예술을」, 『월간미술』, 2월, pp. 73~84
		Atelier 편, 「미술의 최전선」, 『ATELIER』, 762호, pp. 116~119
		이건용, 「동방으로부터의 제안」, 『공간』, 6월(274호), pp. 94~101
		이건용 外 2인, 「한일교류전의 새로운 모색」, 『월간미술』, pp. 128~132
		이건용, 「[특집] 퍼포먼스 문화회고시스템 위에 세워진 자서전적 軌跡」, 『문학과 정신』, 8월(47호), pp. 76~85
		黑田雷見화예원, 「日韓交流展」, 『Esplanade』, 福岡 미술관, p. 3
	1989	곽소종, 「한성전위미술전-예감」, 『웅사미술』(타이페이), 2월, p. 45
		김진두, 「화제전시, 이건용 설치전」, 『선미술』, 겨울(43호), pp. 48~49
		이건용, 「80년대 미술의 분석과 전망, [특집] 미술과 대중의 만남, 소통을 중시합니다」, 『월간미술』,
		11월, pp. 41~70
		이건용, 「이 달의 작가-예술도 소멸한다」, 『미술세계』, 9월, p. 70
		정용수, 위재광, 명정희, 「예술과 행위, 그리고 인간」, 『여원』, 8월
		「특집] 80년대의 한국현대미술」, 『월간미술』, 10월, pp. 43~110
	1988	이건용, 「문화여! 최북의 눈을 찌르지 말라」, 『전북문화저널』, pp. 2~3
		「특집] 한국의 현대미술작가」, 『미술의 창』(도쿄), 9월, pp. 45~123, p. 106
	1987	김영재, 「80년대 작가 32」, 『화랑』, 겨울(58호), p. 101
		김영재, 「비교분석에 의한 작품해석과 접근(이건용, 박항률을 중심으로)」, 『미술세계』, 11월, pp. 72~81
	1986	이건용, 「코끼리 꼬리展」, 『공간』, 6월(227호), pp. 91~95
	1985	곽소종, 「한국미술현황전집」, 『예술가』(타이페이), 7월, pp. 120~153
		곽소종, 「한국 관념예술가 이건용」, 『自由青年』, 670호, pp. 68~72
		오광수, 「표현언어로서 신체의 지각」, 『공간』, 12월(222호), pp. 70~73

오광수, 유홍준, 「이건용 전시리뷰」, 『예술과 비평』, 겨울(8호), 서울신문사, pp. 178~179

이일, 「열띤 미술운동의 현주소」, 『계간미술』, 봄, pp. 19~38

이하석, 「대구-경험의 폭과 새로움의 전개」, 『계간미술』, 봄, pp. 218~219

1984　김복영, 「自然, 物性, 結構」, 『예술가』(타이페이), 5월, pp. 40~49

장석원, 「임팩트, 시대의 요청과 민활한 반응」, 『공간』, 2월, pp. 73~82

藝術家編委會, 「每月藝評專欄」, 『예술가』(타이페이), 7월, pp. 94~96

1983　도날드 큐스핏, 「한국현대미술 일본전」, 「LIS '81 원형적 무구성에로의 복귀를 위한 드로잉」, 『공간』, 9월(195호), pp. 21, 74, 97~104

1980　이건용, 장석원, 「한국 입체, 행위미술, 그 자료적 보고서-오브제, 입체, 행위 그것들의 의미」, 『공간』, 6월, pp. 12~38

1979　김복영, 「Lisbon 국제 드로잉전에서 대상」, 『공간』, 10월, pp. 93~94

이건용, 「세계와 인간을 전체적으로 이해하는 방법으로서의 드로잉」, 『화랑』, 겨울(26호), pp. 80~81

이건용, 이강소, 「유랑의 오솔길」, 「내일을 모색하는 작가들」, 『공간』, 9월, pp. 93~95, 72~79

이건용, 「한국적인 것과 나의 작업」, 『공간』, 7월, p. 60

1978　오광수, 이건용, 「新春對談, 前衛活動」, 『화랑』, 봄, pp. 48~51

이건용 外 4인, 「행위의 장으로서의 만남」, 『공간』, 6월, pp. 46~49

1977　방근택, 「이 작가를 말한다」, 『현대예술』, 7월호, pp. 85~88

이건용, 「젊은 지성의 발언」, 『공간』, 11월, pp. 101~102

이일, 「[특집] 國際展 속의 한국현대미술」, 『계간미술』, 봄, pp. 54~59

장석원, 「이벤트, 그 문제와 의미」, 『홍대학보』, 6월(300호)

1976　박용숙, 「60년대 이후의 한국의 실험미술」, 『동덕미술』, 창간호, pp. 41~50

오광수, 「한국전위미술의 행방」, 『공간』, 1월, pp. 87~89

「事件. 場과 行爲의 統合(로지컬 이벤트)」, 『공간』, 8월, pp. 42~46

「60년대 등장 지난 10년간 주요 활동을 한 10명의 작가」, 『공간』, 11월, pp. 69~78

1975　박용숙, 「실험예술, 주어진 시대를 적극적으로 산다는 일」, 「이건용의 이벤트」, 『공간』, 10·11월(101호), pp. 77~80

1974　유준상, 「현역미술가 인명록(中)」, 『화랑 6』(현대화랑), 겨울, p. 81

이건용 外 2인, 「제8회 파리비엔날레 참가작가 대담」, 『현대미술』, 창간호, pp. 41~51

1973　峯村敏明, 「[특집] 제8회 파리 국제청년비엔날레」, 『美術手帖』(일본), 12월, pp. 73~100

Jean-Jacques Leveque, "La Foire aux Idées Nouvelles", Les Nouvelles Littéraires, sep., Paris,

Catherine Millet, "Speciale BIENNALE DE PARIS", Art Press, sep.-oct., Paris, p. 14

이건용 Lee Kun-Yong

1942년 황해도 사리원 출생
군산에서 거주 및 작품제작 활동, 현재 국립 군산대학교 명예교수

Born in 1942, Sariwon, Hwanghae-do
Lives and works in Gunsan, South Korea
Currently Emeritus Professor of Fine Art at National Gunsan University

학력

1982 계명대학교 미술교육대학원 졸업
1969 홍익대학교 미술대학원에서 수학
1967 홍익대학교 미술대학 서양화 전공 졸업

개인전

2014 이건용_달팽이 걸음, 국립현대미술관, 과천
2012 딴 생각 하다가. 느닷없이, 갤러리 고도, 서울
2011 이건용 퍼포먼스 : 이어진 삶, 원빌리지, L.A., 미국
소통과 사유로서의 선긋기, 아산갤러리, 아산
제4회 아트대구 국제아트페어 특별작가, 대구 엑스코, 대구
2010 까사 디 라고 개관기념 초대 개인전, Casa di Lago, 군산
이건용 언더그라운드 2010, 아산갤러리, 아산
어울림 아트쇼 2010 호텔페어 특별작가 초대개인전, 온양관광호텔, 아산
The International Fine Art Fair 1900-Present,
Art Hamptons, Newyork
제3회 아트대구 국제아트페어 특별작가: 창작의 여정, 대구 엑스코, 대구
2009 제2회 아트대구 국제아트페어 특별작가, 대구 엑스코, 대구
2008 제8회 이인성미술상 수상작가 초대전, 대구문화예술회관, 대구
이건용 : 신체의 사유, 아산갤러리, 아산
이건용 : 나 · 지금 · 여기 퍼포먼스전, 대구봉산문화회관, 대구
이건용 드로잉 언더그라운드 2008-1, 아산갤러리, 아산
2007 이건용 퍼포먼스, 인모 갤러리, L.A., 미국
이건용 LA전, 더 모던아트 갤러리, L.A., 미국
아트스타 100 축전, 코엑스, 서울
2002 이건용 미술 35년전(1967~2002), 한국 소리문화의 전당 전시실, 전주
1999 마니프 국제전, 예술의전당, 서울
이건용의 논리 · 삶 · 일상, 문예진흥원 미술회관(現 아르코 미술관)
1996 10개의 현신(現身) 퍼포먼스, 진포 문화원, 군산
1991 이건용의 인간항(人間項) : 삶과 문화에 대한 회고적 시스템, 예맥 화랑, 서울
1990 이건용 설치 · 퍼포먼스전, 얼 화랑, 전주
1989 이건용 설치전, 나우 갤러리, 서울
1987 이건용 개인전, P&P 갤러리, 서울
1986 이건용 개인전, 관훈 미술관, 서울
1985 이건용전 : 신체적 회화, 윤 갤러리, 서울
1984 이건용 설치와 드로잉, 수 화랑, 대구
1983 이건용 개인전, 관훈 미술관, 서울
1980 이건용 이벤트, 분도 소극장, 대구
1979 이건용 신체드로잉, 태인 화랑, 서울
이건용 드로잉 · 이벤트, 남계 화랑, 대전
1977 이건용전, 태인 화랑, 서울
1976 이건용 이벤트, 다사랑 문화공간, 서울

주요 단체전

2014 The Magic of Spring, 아산갤러리, 아산
BAMA 부산국제화랑 아트페어, 벡스코, 부산
2012 뉴욕 파운틴 아트페어, 뉴욕
한국 드로잉 50년전, 예술의 전당 한가람 미술관, 서울
한국 현대미술의 스펙트럼, 가오슝 시립미술관, 타이완
2011 코리안 아트 쇼 2011, 소호, 뉴욕, 미국
쾰른 아트페어, 쾰른, 독일
아시아 탑 갤러리 호텔 아트페어, 홍콩
대구시립미술관 개관기념전 : 기(氣)가 차다, 대구시립미술관, 대구
제14회 베이징 예술박람회, 베이징 국제무역센터, 베이징
2010 한국 드로잉 30년 : 1970~2000, 소마미술관, 서울
1970~80년대 한국의 역사적 개념미술 : 팔방미인, 경기도미술관, 안산
2009 대학로 100번지, 아르코 미술관, 서울
2008 NOW JUMP!, 백남준 아트센터, 용인
제1회 국제아트페어, 아트대구2008, 대구엑스코, 대구
어디에서 보아도 나는 모악이다, 전북도립미술관, 전주
2007 신체에 관한 사유, 서울시립미술관, 서울
한국의 행위미술 1967~2007, 국립현대미술관, 과천
작가재조명전, 소마미술관, 서울
한국-터키 수교 50주년 기념전, 이스탄불 시립극장미술관,
부평역사박물관 전시실, 터키/한국
2006 금강 자연미술 국제비엔날레, 공주 연미산
한국미술100년 2부 : 전통, 인간, 예술, 현실, 국립현대미술관, 과천
보물섬을 지켜라 : 독섬·독도전, 전북도립미술관, 전주
2005 Concern on the way, 토탈미술관, 서울
제1회 포천 아시아미술제, 포천 반원아트홀, 포천
6인의 한국현대미술가들, 실케버그 바드 미술관, 실케버그, 덴마크
제3회 쌈지스페이스 타이틀 매치전 : 이건용vs고승욱,
쌈지스페이스 갤러리, 서울
긴 호흡전 : 국제적 거장과 그 장면,
메치넨하우스에센(유럽 퍼포먼스연구소 NRW), 독일
2004 네트워크 21세기, 민촌 아트센터, 전주
대구미술 다시보기 : 대구 현대미술제 74~79, 대구문화예술회관, 대구
당신은 나의태양 : 한국현대미술 1960~2004, 토탈미술관, 서울
전북 도립미술관 개관기념전, 전북도립미술관, 전주
2003 드로잉의 새로운 지평, 국립현대미술관(덕수궁), 서울
건축 속의 미술 헤이리 페스티발, 파주, 경기
환경미술 물(水), 서울시립미술관/한국 소리문화의 전당, 서울/전주
제1회 대구국제행위예술제, 대구문화회관 대극장, 대구
2001 한국 현대미술의 전개 : 전환과 역동의 시대, 국립현대미술관, 과천
2000 광주 국제 비엔날레 : 한·일 현대미술, 광주시립미술관, 광주
미디어시티 서울2000 : Subway Project, 서울시청역
SIPAF2000, 인사동 일대, 서울
1999 제4문화 : 환경과 문화, 민촌 아트센터, 전주
마니프 국제전, 예술의전당, 서울
1998 '98 부산국제아트 페스티발, 부산시립미술관, 부산
1997 제1회 앙코르지리산, 전북예술회관, 전주
'97 허수아비 미술제, 군산시청 전시실, 군산
1996 아시아 현대미술제, 대구예술회관, 대구
한국 현대미술 현재와 미래, 홍익대학교 현대미술관, 서울
1995 미술과 음악의 만남, 예술의전당, 서울
광복 50주년 민속종합제 퍼포먼스, 국립민속박물관, 서울
1994 300초 스파트 행위, 터 갤러리, 서울
제4문화 창립 행위예술제, 군산시민문화관 대극장, 군산
1993 헤쳐모인 예술가와 예술전, 이건용 퍼포먼스, 갤러리 돌, 서울
한국현대미술전, 니테로이 현대미술관, 포르토, 포르투갈

1992	'92 광안리 아트타운 이벤트, 이건용 퍼포먼스, 아트타운, 부산
1991	비무장지대(DMZ)문화운동전, 예술의전당, 서울
	한국 현대미술 : 한국성 모색 Ⅱ, 한원갤러리, 서울
1990	1945~1990 판문점에서 브란덴부르크까지, 시공화랑, 서울
	대우조선소 야외 현장설치전, 장승포 공원, 거제
	동방으로부터 제안전, 사가초갤러리, 도쿄, 일본
	'90 새로운 정신, 금호미술관, 서울
	예술의전당 개관기념전, 예술의전당 한가람미술관, 서울
1989	개념과 방법으로서 미술, 갤러리 2000, 서울
	동방으로부터 제안전(한·일 교류전), 동숭아트센터, 서울
	메세이지와 커뮤니케이션(한·일 교류전), 청남미술관, 서울
1988	물(物)의 예감전, 나우갤러리, 서울
	미술의 현재 : 수평과 수직, 세이부 미술관 주최, 추카신 홀, 오사카, 일본
1987	80년대 작가전, 현대화랑, 서울
	서울·요코하마 현대미술전, 아르코스멘터, 서울
	부산 청년작가 비엔날레 커미셔너전, 부산
	'87 현대미술 초대전, 국립현대미술관, 과천
1986	한국현대미술의 현재전, 국립현대미술관, 과천
	피겨레이숀 크리티크, 그랑팔레, 파리, 프랑스
	'86 서울 아세안 현대미술전, 국립현대미술관, 과천
	이건용·안치인 퍼포먼스 강좌-3, 사운드 팩토리, 도쿄, 일본
	'86 서울 행위 설치미술전, 아르코스센터, 서울
	'86 서울 요코하마 현대미술전, 가나자와 미술관, 일본
1985	KIS '85 군산 현대 미술전, 전북예술회관, 전주
	물(物)의 체험전, 후 화랑, 서울
1984	한국현대미술 : 70년대의 조류, 대북시립미술관, 대만
1983	신한성파 종이 조형전, 춘지화랑, 대만
	한국 현대미술 순회전, 도쿄도 미술관, 홋카이도 시립미술관,
	후쿠오카 시립미술관, 일본
	한국 현대 미술전, 리스본 및 포르토 시립미술관, 포르투갈
1982	현대종이조형전, 국립현대미술관, 서울, 한국/교토시립미술관,
	교토 및 기타지역, 일본
	에꼴 드 서울, 관훈미술관, 서울
1981	LIS '81 리스본 국제전, 리스본 시립미술관, 포르투갈
	현대미술그룹 워크샵전, 동덕미술관, 서울
	드로잉 81, 국립현대미술관(덕수궁), 서울
1980	S.T전 : 국면과 전체, 동덕미술관, 서울
	아세아 미술 제2부 아세아 현대미술, 후쿠오카 시립미술관, 일본
1979	LIS '79 리스본 국제전, 리스본 시립 미술관, 포르투갈
	제 15회 상파울로 국제비엔날레, 상파울로 현대 미술관, 브라질
1978	한국현대미술 20년 동향전, 국립현대미술관(덕수궁), 서울
	대구현대미술제-이건용 이벤트 발표, 계명대학교 전시실, 대구
1977	작은 자화상, 아트코어갤러리, 오사카, 일본
	대구현대미술제, 대구
	이건용, 윤진섭 2인의 이벤트 : 조용한 미소. 서울화랑, 서울
	S.T전, 견지화랑, 서울
1976	대구현대미술제, 대구
	S.T전-이건용 신체드로잉 발표, 출판문화회관, 서울
	제8회 까뉴 국제회화제, 까뉴 슈메르, 프랑스
	서울 현대미술제, 국립현대미술관(덕수궁), 서울
	3인[이건용, 성능경, 김용민]의 이벤트, 프레스 센터, 서울
1975	3인[이건용, 성능경, 김용민]의 이벤트, 그로리치 화랑, 서울
	대구현대미술제, 대구
	A.G 4인전, 국립현대미술관(덕수궁), 서울
	S.T전, 국립현대미술관(덕수궁), 서울
	오늘의 방법전, 백록화랑, 서울
	앙데팡당전, 국립현대미술관(덕수궁), 서울

1974	대구현대미술제, 대구
	서울 비엔날레-A.G 주최, 국립현대미술관(덕수궁), 서울
	S.T전, 국립현대미술관(덕수궁), 서울
	A.G전, 국립현대미술관(덕수궁), 서울
1973	제2회 S.T 회원전, 명동화랑, 서울
	제8회 파리국제비엔날레, 파리 시립미술관, 프랑스
1972	A.G전, 국립현대미술관(경복궁), 서울
	제1회 앙데팡당전-관계항 발표, 국립현대미술관(경복궁), 서울
1971	A.G전, 국립현대미술관(경복궁), 서울
	한국미술협회전-신체항(身體項) 발표, 국립현대미술관(경복궁), 서울
	제1회 S.T 회원전, 서울시립공보관 전시실, 서울
1969	S.T(Space &Time) 조형미술회 조직, 서울

수상

2013	한민족문화대상 수상
2007	이인성 미술상 수상, 이인성미술상 운영위원회
1979	LIS 리스본 국제전 대상 수상, 포르투갈 문부성, 리스본 시립미술관

EDUCATION

1982	MA in Education, Geimyung University, Daegu
1969	Studied Postgraduate Course in Fine Art, Hongik University, Seoul
1967	BFA in Fine Art, Hongik University, Seoul

SOLO EXHIBITIONS

2014	*Lee Kun-Yong in Snail's Gallop*, MMCA, Gwacheon, Korea
2012	*Lee Kun-Yong*, Gallery Godo, Seoul, Korea
2011	*Lee Kun-Yong Performance : Relay Life*, One Village in L.A., USA
	Lee Kun-Yong Special Exhibition, Asan Gallery, Asan, Korea
	The 4th ART DAEGU International Art Fair's Special Artist, EXCO, Daegu, Korea
2010	*Lee Kun-Yong Special Exhibition*, Gallery Casa di Lago, Gunsan, Korea
	Lee Kun-Yong Underground 2010, Asan Gallery, Asan, Korea
	Lee Kun-Yong Special Exhibition, Oulim Art Show 2010 Hotel Fair, Onyang Hotel, Asan, Korea
	Art Hamptons : The International Art Fair, Sayre Park, Bridgehampton, New York, USA
	The 3rd Art DAEGU International Art Fair's Special Artist, EXCO, Daegu, Korea
2009	The 2nd Art DAEGU International Art Fair's Special Artist, EXCO, Daegu, Korea
2008	*Lee Kun-Yong Solo Exhibition in Commemoration of Lee In-Sung Art Prize*, Daegu Culture and Arts Center, Daegu, Korea
	Invitational Solo Exhibition of Lee Kun-Yong : Drawing Underground 2008, Asan Gallery Drawing Hall, Asan, Korea
	I.NOW.This Place : Lee Kun-Yong Solo Exhibition, Bongsan Cultural Center, Daegu, Korea
	Lee Kun-Yong: Bodyscape, Asan Gallery, Asan, Korea
2007	*Lee Kun-Yong in L.A. 2007*, Inmo Gallery, L.A., USA
	Lee Kun-Yong Solo Exhibition, The Modern Art Gallery, L.A., USA
	ART STAR 100, COEX, Seoul, Korea
2002	*Lee Kun-Yong Invitational Solo Exhibition* of Sori Art Center of Jeollabuk-do 2002, Jeonju, Korea
1999	MANIF Seoul International Art Fair, Seoul Arts Center, Seoul
	Logic, Life and the Commonplace, The Korean Culture and Arts Foundation Fine Art Center, Seoul, Korea
1996	*Lee Kun-Yong Performance*, Jinpo Cultural Center, Gunsan, Korea
1991	*Human Created by Lee Kun-Yong*, Yemac Gallery, Seoul, Korea
1990	*Lee Kun-Yong Installation and Performance*, Erl Gallery, Jeonju
1989	*Lee Kun-Yong : Installation Works*, Now Gallery, Seoul, Korea
1987	*Lee Kun-Yong's Solo Exhibition*, P&P Gallery, Seoul, Korea
1986	*Lee Kun-Yong Installations*, Kwanhoon Gallery, Seoul, Korea
1985	*Lee Kun-Yong's Solo Exhibition*, Yoon Gallery, Seoul, Korea
1984	*Lee Kun-Yong's Solo Exhibition*, Soo Gallery, Seoul, Korea
1983	*Lee Kun-Yong's Solo Exhibition*, Kwanhoon Gallery, Seoul, Korea
1980	*Lee Kun-Yong's Event*, Bundo Theater, Daegu, Korea
1979	*Lee Kun-Yong's Solo Exhibition*, Taein Gallery, Seoul, Korea
	Lee Kun-Yong : Drawing·Event, Namgye Gallery, Daejeon
1977	*Lee Kun-Yong's Solo Exhibition*, Taein Gallery, Seoul, Korea
1976	*Lee Kun-Yong's Solo Exhibition*, Dasarang Gallery, Seoul, Korea

SELECTED GROUP EXHIBITIONS

2014	*The Magic of Spring*, Asan Gallery, Asan, Korea
	BAMA Busan Art Market of Galleries Affairs, Bexco, Busan, Korea
2012	Fountain Art Fair, New York, USA
	50 Years of Korean Drawing, Seoul Arts Center-Hangaram Museum, Seoul, Korea
	The Spectrum of Contemporary Korean Art, Kaohsiung Museum of Fine Arts, Taiwan
2011	Korean Art Show 2011, Soho, New York, USA
	Köln Art Fair, Köln, Germany
	ASIA TOP GALLERY Hotel Art Fair Hong Kong (AHAF HK 11), Hong Kong
	Qi is Full, Daegu Art Museum, Daegu, Korea
	The 14th Beijing Art EXPO, China World Trade Center, Beijing, China
2010	*Korean Avant-garde Drawing 1970~2000*, Seoul Olympic Museum of Art (SOMA), Seoul, Korea
	Korean Historical Conceptual Art 1970~80 : Jack of All Trades, Gyeonggi Museum of Modern Art (GMA), Ansan, Korea
2009	*100 Daehangro : Lee Kun-Yong Master Class Performance*, Arko Art Center, Seoul, Korea
2008	*Now Jump!*, Namjune Paik Art Center, Yongin, Korea
	The 1st ART DAEGU 2008 International Art Fair, EXCO, Daegu, Korea
	I'm Moak Anywhere You Lay Your Eyes On : The 11 Invited Artists of Jeonbuk, Jeonbuk Museum of Art, Jeonju, Korea
2007	*Text in Bodyscape*, Seoul Museum of Art (SeMA), Seoul, Korea
	Performance Art of Korea 1967~2007, MMCA, Gwacheon, Korea
	Restless Hand, Wandering Mind, Seoul Olympic Museum of Art (SOMA), Seoul, Korea
	Celebrating Exhibition for the 50 Years of Amity between Korea and Turkey, Bupyung Historical Museum, Korea / Istanbul Civic Theater, Turkey
2006	Geumgang Nature Art Biennale, Mt. Yeonmisan, Gongju, Korea
	100 Years of Korean Art Part 2 : Tradition, Human, Art, Reality, MMCA, Gwacheon, Korea
	Dok-sum & Dok-do, Jeonbuk Museum of Art, Jeonju, Korea
2005	*Concern of the Way*, Total Museum of Art, Seoul, Korea
	The 1st Pochun Asia Art Festival, Banwon Art Hall, Pochun, Korea
	6 Contemporary Artists from Korea, KunstCentret Silkeborg Bad, Silkeborg, Denmark
	The 3rd Ssamzie Space Annual Title Match : Lee Kun-Yong VS Koh Seung-wook, Ssamzie Space, Seoul, Korea
	Dear Lange Atem (The Long Breath) : Meister der Internationalen Performance-szene, Maschinenhaus Essen, Essen, Germany
2004	*Network of 21st Century*, Minchon Art Center, Jeonju, Korea
	Daegu Contemporary Art Festival '74~'79, Daegu Culture and Arts Center, Daegu, Korea
	You are My Sunshine : Korean Contemporary Art from 1960~2004, Total Museum of Art, Seoul, Korea
	Inaugural Exhibition of Jeonbuk Museum of Art, Jeonju, Korea
2003	*Drawing : Its New Horizons*, MMCA, Deoksugung, Korea
	Heyri Art Festival "Art in Architecture", Paju, Korea
	Environmental Art : Water, Seoul Museum of Art (SeMA) / Sori Art Center, Seoul/Jeonju, Korea
	Daegu International Performance Document, Daegu Culture Center, Daegu, Korea
2001	*Korean Contemporary Arts from the mid-1960s to mid-1970s : Age of Transition and Dynamics*, MMCA, Gwacheon, Korea
2000	*The Facet of Korean & Japanese Contemporary Art*, the 3rd Gwangju Biennale, Gwangju Museum of Art (GMA), Gwangju, Korea

Subway Project : Media City Seoul 2000, Seoul City Hall Station, Seoul, Korea
Seoul International Performance Art Festival 2000 (SIPAF 2000), Seoul, Korea

1999   *The 4th Culture Group : Environment & Culture*, Minchon Art Center, Jeonju, Korea
MANIF Seoul International Art Fair, Seoul Arts Center, Seoul, Korea

1998   '98 Busan International Art Festival, Busan Museum of Art, Busan, Korea

1997   *The 1st Encore Jirisan*, Jeonbuk Art Center, Jeonju, Korea
Scarecrow Art Festival, Gunsan City Hall, Gunsan, Korea

1996   Daegu Asian Modern Art Festival, Daegu Museum of Art, Daegu, Korea
The Present and Future of Korean Contemporary Art,
Contemporary Art Museum at Hongik University, Seoul, Korea

1995   *The Encounter between Literature and Art*, Commemorative Exhibition for
the Year of Fine Art, Seoul Arts Center, Seoul, Korea
Folk Art Festival Celebrating 50th Anniversary of Restoration
of Korea, The National Folk Museum of Korea, Seoul, Korea

1994   *300 Seconds Spot Event*, Tuh Gallery, Seoul, Korea
Inaugural Exhibition of "The 4th Culture Group", Performance Art
Festival, Gunsan Civic Cultural Center, Gunsan, Korea

1993   *The 1st Exhibition of Scattered and Gathered Artists and Art*,
Do-ol Art Center, Seoul, Korea
Korean Contemporary Art Exhibition,
Museo de Arte Contemporânea de Niterói, Porto, Portugal

1992   *1992 Gwanganri Art Town Event : Performance*, Art Town of Busan
Daily Newspaper and Busan Artists' Association, Busan, Korea

1991   *DMZ Cultural Movement Exhibition*, Seoul Arts Center, Seoul, Korea
The Search for Koreannes in Korean Modern Art II, Hanwon Gallery, Seoul, Korea

1990   *From Panmunjeom to Brandenburg 1945~1990*, Sigong Gallery, Seoul, Korea
Installation Art Exhibitions in Outdoor Space of Daewoo Ship Construction
Company, Jangseungpo Park, Geoje, Korea
Proposal from the East, Sagacho Gallery, Tokyo, Japan
New Spirit of the 90s, Kumho Gallery, Seoul, Korea
Celebrating Exhibition for the Opening of Seoul Arts Center,
Seoul Arts Center-Hangaram Museum, Seoul, Korea

1989   *Art as Concept and Method*, Gallery 2000, Seoul, Korea
Proposal from the East, Dongsoong Arts Center, Seoul, Korea
Message and Communication : Exchange between Korea and Japan,
Cheongnam Museum, Seoul, Korea

1988   *Premonition of Objects*, Gallery Now, Seoul, Korea
Today's Art : Horizon and Verticalness, Zkaishin Hall, Seibu Museum of Art,
Osaka, Japan

1987   *Artists of the 1980s*, Gallery Hyundai, Seoul, Korea
Modern Art of Seoul & Yokohama, Art Cosmos Center, Seoul, Korea
Biennale Commissioner's Exhibition of Young Artists,
Nouveau Gallery, Busan, Korea
Invitation Exhibition of Contemporary Art '87, MMCA, Gwacheon, Korea

1986   *Korean Modern Art at Present*, MMCA, Gwacheon, Korea
Figuration Critique, Grand Palais, Paris, France
Exhibition of Seoul Asean Modern Art, MMCA, Gwacheon, Korea
Lee Kun-Yong, An Chi-in and Haruo Higuma's Performance Lecture 3,
Sound Factory, Tokyo, Japan
'86 Seoul Performance and Installation Art,
Art Cosmos Center, Seoul, Korea
Modern Art of Seoul & Yokohama, Kanazawa Museum of Art, Japan

1985   *KIS '85 Gunsan Modern Art*, Jeonbuk Art Center, Jeonju, Korea
Experience of Objects, Who Gallery, Seoul, Korea

1984   *Modern Art of Korea : The Trend 1970s*, Taipei Civic Museum of Art,
Taipei, Taiwan

1983   *Shin-han-sung-wha-pa's Grand Exhibitions*, Harunogeio Gallery, Taipei, Taiwan

Modern Art of Korea, Tokyo Museum of Art /
Hokkaido Museum of Art / Fukuoka Museum of Art, Japan
Korean Contemporary Art Festival, Porto Museum of Art, Portugal

1982   Contemporary Paper Craft and Paper Composition,
MMCA, Seoul, Korea/ Kyoto City Museum of Art, Kyoto, Japan /
Saitama Museum of Art, Saitama, Japan
École de Seoul, Kwanhoon Gallery, Seoul, Korea

1981   LIS '81 Lisbon International Show, City Art Museum of Lisbon, Lisbon, Portugal
Modern Art Workshop Exhibition, Dongduk Gallery, Seoul, Korea
Drawing 81, MMCA, Deoksugung, Korea

1980   *ST Exhibition : Phase and Whole*, Dongduk Gallery, Seoul
The 2nd Asia Art Festival : Asia Modern Art Exhibitions,
Fukuoka City Museum, Fukuoka, Japan

1979   LIS '79 Lisbon International Show, City Art Museum of Lisbon, Lisbon, Portugal
The 15th Biennale International de São Paulo, São Paulo, Brazil

1978   *Trend of the Korean Modern Art for the Past 20 Years*, MMCA,
Deoksugung, Korea
Daegu Contemporary Art Festival,
Exhibition Hall of Geimyung University, Daegu, Korea

1977   *Small Self Portrait Exhibition*, Art Core Gallery, Osaka, Japan
Daegu Contemporary Art Festival, Daegu, Korea
Event of Two Artists Lee Kun-Yong and Yoon Jin-sup : Silent Smile,
Seoul Gallery, Seoul, Korea
ST Exhibition, Gyun-ji Gallery, Seoul, Korea

1976   Daegu Contemporary Art Festival, Daegu, Korea
ST Exhibition, Publishing Association Exhibition Hall, Seoul, Korea
The 8th International Art Festival, Cagnes-sur-Mer, Cannes, France
Seoul Modern Art Festival, MMCA, Deoksugung, Korea
*Events of Three Artists : Lee Kun-Yong, Sung Neung-Kyung and
Kim Yong-Min*, Press Center, Seoul, Korea

1975   *Events of Three Artists: Lee Kun-Yong, Sung Neung-Kyung and Kim Yong-Min*,
Growrich Gallery, Seoul, Korea
Daegu Contemporary Art Festival, Daegu, Korea
AG Exhibition of Four Artists, MMCA, Deoksugung, Korea
ST Exhibition : Performance Show, MMCA, Deoksugung, Korea
Independent Exhibition, MMCA, Deoksugung, Korea
Today's Method, Baek-Rok Gallery, Seoul, Korea

1974   Daegu Contemporary Art Festival, Daegu, Korea
Seoul Biennale organized by AG, MMCA, Deoksugung, Korea
ST Exhibition, MMCA, Deoksugung, Korea
AG Exhibition, MMCA, Deoksugung, Korea

1973   *The 2nd Exhibition of ST Fine-Arts Group*, Myungdong Gallery, Seoul, Korea
The 8th Paris Biennale, Paris City Modern Art Museum, Paris, France

1972   *AG Exhibition*, MMCA, Gyeongbokgung, Korea
The 1st Independant Exhibition, MMCA, Gyeongbokgung, Korea

1971   *AG Exhibition*, MMCA, Gyeongbokgung, Korea
Exhibition of Korean Artists Association, MMCA, Gyeongbokgung, Korea
The 1st Exhibition of Group ST, Exhibition Hall of Seoul City Office, Seoul, Korea

1969   Creation of ST Group, Seoul

AWARD
2013   Grand Prize of Korean Arts and Culture
2007   The 8th Lee In-sung Art Prize
1979   Grand Prize at LIS '79, Lisbon International Show,
City Art Museum of Lisbon, Portugal

《달팽이 걸음 _ 이건용》전 도록

발행인   윤범모

발행처   국립현대미술관

    427-701 경기도 과천시 광명로 313 (막계동)

    전화 02 2188 6000

    팩스 02 2188 6122

    www.mmca.go.kr

편집   페도라 프레스

디자인   김명현 (공공공)

인쇄   인타임

제작 및 보급   국립현대미술관 문화재단

Lee Kun-Yong in Snail's Gallop Catalog

Publisher   Youn Bummo

Published by   National Museum of Modern and Contemporary Art, Korea

    313 Gwangmyeong-ro, Gwacheon-si, Gyeonggi-do, 427-701, Korea

    Tel. + 82 2 2188 6000

    Fax. + 82 2 2188 6122

    www.mmca.go.kr

Editing   Fedora Press

Design   Kim Myunghyun (_gong_gong_gong_)

Printing   Intime

Published in association with National Museum of Modern and Contemporary Art Foundation, Korea.

ISBN 978 - 89 - 6303 - 073 - 9

가격 37,000 원

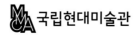

국립현대미술관